## Christophe GEOFFROY

*CEC Cinesiterapeuta deportivo*
*Cinesiterapeuta agregado a la Federación Francesa de Fútbol*
*Profesor universitario*
*Especialista en formación y ases oramiento*

# Strapping & Taping

## GUÍA PRÁCTICA DE LAS

# CONTENCIONES ELÁSTICAS

## Todas las combinaciones posibles

**EDITORIAL
PAIDOTRIBO**

Publicado según acuerdo con SPORTMEL Sarl

Título original: *Guide pratique des contentions*
Traducción: Sandra Sol
Diseño cubierta: David Carretero

© 2016, Christophe Geoffroy

Editorial Paidotribo
Les Guixeres
C/ de la Energía, 19-21
08915 Badalona (España)
Tel.: 93 323 33 11 – Fax: 93 453 50 33
http://www.paidotribo.com
E-mail: paidotribo@paidotribo.com

Primera edición:
ISBN: 978-84-9910-438-6
BIC: MQS; VFMS; MMS

Fotocomposición: Editor Service, S.L.
Diagonal, 299 – 08013 Barcelona

Impreso en España por Sagrafic, S.L.

A mi esposa, Nathalie, por su apoyo y su colaboración.
A nuestros padres e hijos.

También quiero expresar todo mi agradecimiento a las personas
y amigos que han participado en la realización de esta obra.

**Agathe, James, Jordan, Julien:** *nuestros modelos*
**Freddy Longuet:** *nuestro fotógrafo, por la calidad de sus imágenes*
**Stéphanie Bapt:** *por su apoyo y confianza*
**Yann Bourrel:** *cinesiterapeuta, osteópata y formador de la técnica
del taping*

Agradezco también el apoyo de nuestros colaboradores:
        BVSport®
        Laboratoires Asepta®
        Laboratoires Hartmann®
        Odlo® France
        Skinéxians®

# ÍNDICE

Prólogo ........................................................................................................... XI
Introducción ................................................................................................... XII

## Parte teórica

Consideraciones ............................................................................................. 1
    Indicaciones según las patologías ............................................................. 2
    Ventajas e inconvenientes de los materiales utilizados ............................. 3

El strapping o las contenciones elásticas .................................................... 5
1. Las claves del éxito ................................................................................... 6

2. Principios generales ................................................................................. 7

3. Elementos técnicos .................................................................................. 8
    Tipos de montaje ....................................................................................... 8
    Funciones de las vendas ........................................................................... 9
    Técnicas de colocación ............................................................................. 10

4. Material ..................................................................................................... 12
    Las vendas adhesivas inelásticas ............................................................. 12
    Las vendas adhesivas elásticas ................................................................ 14
    Las vendas cohesivas ............................................................................... 16

5. Propiedades ............................................................................................. 17
    Mecánicas ................................................................................................. 17
    Neurofisiológicas ....................................................................................... 25
    Psicológicas .............................................................................................. 29

6. Objetivos .................................................................................................. 30
    Terapéuticos ............................................................................................. 30
    Preventivos ............................................................................................... 35
    Tabla recopilatoria .................................................................................... 40

7. Indicaciones y particularidades por patología..................................................42
  Patologías articulares ...............................................................................42
  Patologías tendinosas ...............................................................................43
  Patologías musculares ..............................................................................44
  Pequeños traumatismos.............................................................................46
  En reumatología........................................................................................47
  Alteraciones liquidianas.............................................................................47

8. Contraindicaciones, ventajas e inconvenientes .............................................48
  Contraindicaciones....................................................................................48
  Ventajas ..................................................................................................48
  Inconvenientes..........................................................................................49

El taping..........................................................................................................51
1. Principios generales....................................................................................52

2. Elementos técnicos......................................................................................53
  Tipos de montaje ......................................................................................53
  Técnicas de colocación..............................................................................55

3. Material.....................................................................................................57
  Características...........................................................................................57
  Dimensiones ............................................................................................58
  Teoría de los colores .................................................................................58
  Sentido de colocación de las vendas............................................................58
  La tensión ...............................................................................................59

4. Propiedades...............................................................................................60
  Mecánicas ...............................................................................................60
  Neurofisiológicas ......................................................................................62
  Psicológicas.............................................................................................62

5. Objetivos ...................................................................................................63
  Acción drenante y acción destonificante .......................................................63
  Acción antálgica .......................................................................................64
  Acción tonificante y acción estabilizadora .....................................................64
  Acción correctora .....................................................................................65
  Combinación de acciones ..........................................................................65

6. Indicaciones ..........................................................................................67
    Musculares ........................................................................................67
    Articulares .........................................................................................68
    Tendinosas ........................................................................................69
    En reumatología .................................................................................70
    Tisulares ............................................................................................70

7. Ventajas e inconvenientes ......................................................................71
    Ventajas ............................................................................................71
    Inconvenientes ...................................................................................71
    Contraindicaciones .............................................................................71

Las ortesis ................................................................................................73
1. Principios generales ...............................................................................74

2. Tipos de ortesis .....................................................................................75

    De inmovilización ...............................................................................75
    De reabsorción ..................................................................................77
    De recuperación ................................................................................78

3. Propiedades ..........................................................................................79
    Mecánicas .........................................................................................79
    Neurofisiológicas ...............................................................................80
    Fisiológicas .......................................................................................80

4. Objetivos e indicaciones .........................................................................81
    Elección y principios de aplicación .......................................................81
    Para tratar: ortesis de inmovilización ....................................................82
    Para prevenir: ortesis de recuperación ..................................................83

5. Ventajas e inconvenientes ......................................................................86
    Ventajas ............................................................................................86
    Inconvenientes ...................................................................................86
    Recomendaciones y contraindicaciones ................................................86

Tabla recopilatoria ....................................................................................87
    Evolución y elección de las contenciones elásticas tras producirse una lesión (tabla)

# Aplicaciones prácticas

El strapping en la práctica .................................................................................................90

Las demostraciones .......................................................................................................105

En los miembros inferiores ............................................................................................106

El halux valgus: strapping antálgico ............................................................................106

Fractura de una falange de un dedo del pie: strapping terapéutico .............................110

Aponeurosis plantar (fascitis plantar): strapping terapéutico ......................................114

Fractura del metatarsiano: strapping terapéutico ........................................................116

Esguince del metatarsiano: strapping terapéutico .......................................................118

Esguince de tobillo (LCL o LLE): strapping terapéutico ...............................................120

Esguince de tobillo (LCL o LLE): strapping preventivo .................................................124

Tendinitis del tibial anterior: strapping terapéutico ......................................................128

Síndrome de la confluencia posterior del tobillo: strapping antálgico ..........................132

Periostitis tibial: strapping terapéutico ........................................................................134

Tendinitis de Aquiles: strapping terapéutico ...............................................................138

Desgarro del tríceps: strapping terapéutico. Vendaje de contrapresión ......................142

Desgarro del tríceps: strapping terapéutico. Vendaje restrictivo y de contrapresión .............144

Esguince de rodilla (ligamento colateral tibial o LLI): strapping terapéutico .........................146

Esguince de rodilla (ligamento cruzado anterior o LCA): strapping preventivo .......................148

Dolor meniscal: strapping antálgico ............................................................................150

Dolor de la articulación fibulotibial superior: strapping antálgico .................................154

Tendinitis del ligamento patelar (tendón rotuliano): strapping terapéutico ...........................156

Subluxación de la patela: strapping terapéutico y preventivo ......................................158

Desgarro de los isquiotibiales: strapping de urgencia. Vendaje compresivo ........................162

Desgarro de los isquitiobiales: strapping terapéutico. Vendaje restrictivo y compresivo ........164

En el torso y el tronco ..................................................................................................174

Lumbalgia aguda: strapping terapéutico ......................................................................174

Contusiones torácicas o fractura parcelar de costilla: strapping terapéutico y antálgico .......180

En los miembros superiores .........................................................................................186

Esguince acromioclavicular: strapping terapéutico ......................................................186

Esguince acromioclavicular: strapping terapéutico. Montaje con venda cohesiva ................188

Esguince acromioclavicular: strapping preventivo .......................................................190

Tendinitis del bíceps (porción larga): strapping terapéutico ........................................200

Dolor posterior del codo: strapping antálgico ..............................................................206

Tendinitis de los epicondíleos (epicondilitis): strapping terapéutico .............................208

Esguince de muñeca: strapping terapéutico ..................................................................212
Esguince del pulgar: strapping terapéutico ..................................................................216
Esguince de la articulación metacarpofalángica (dedo en extensión) o lesión de
 un tendón flexor de los dedos: strapping terapéutico y preventivo ..........................218
Esguince de la articulación metacarpofalángica (dedo en flexión) o lesión de
 un tendón extensor de los dedos: strapping terapéutico ..........................................220
Esguince de la articulación metacarpofalángica (dedo en flexión): strapping preventivo ...222
Esguince de las articulaciones AIP o AID de un dedo: strapping terapéutico ..............224

Los casos particulares ..................................................................................................226
Estabilización de la articulación trapezometacarpiana (columna del pulgar):
 strapping preventivo ..................................................................................................226
Unir los dedos: strapping preventivo ............................................................................227

# El taping en la práctica

Las demostraciones ......................................................................................................105

**En los miembros inferiores**
Taping corrector del hallux valgus y descompresión del extensor del dedo gordo del pie .....108
Taping corrector en caso de pie plano ..........................................................................112
Taping destonificante de la fascia plantar (aponeurosis plantar) ..................................113
Taping para el drenaje del tobillo ..................................................................................122
Taping tonificante o estimulante para los fibulares ......................................................126
Taping destonificante para el tibial anterior ..................................................................130
Taping corrector en caso de periostitis tibial ................................................................136
Taping drenante o destonificante para el tendón de Aquiles ........................................140
Taping tonificante para el tríceps y el tendón de Aquiles ..............................................141
Taping para el drenaje de la rodilla ..............................................................................152
Taping para la descompresión patelar (rótula) ..............................................................160
Taping destonificante y drenante para los isquiotibiales ..............................................166
Taping destonificante y drenante para el cuádriceps ....................................................168
Taping tonificante para el femoral ................................................................................170
Taping corrector y destonificante para la fascia lata (síndrome del limpiaparabrisas) ...........172

**En el torso y el tronco**

Taping destonificante para la región lumbar .................................................................176

Taping para la descompresión lumbar ..........................................................................178

Taping destonificante para la región dorsal (interescapular)........................................182

Taping destonificante para la región cervicoescapular (trapecio superior y elevador
de la escápula)..........................................................................................................184

**En los miembros superiores**

Taping para el drenaje de la parte posterior del hombro (escápula)............................192

Taping para el drenaje del hombro................................................................................194

Taping destonificante para el deltoides.........................................................................196

Taping tonificante para el deltoides ..............................................................................198

Taping destonificante para el bíceps braquial...............................................................202

Taping para el drenaje del tríceps braquial ..................................................................203

Taping tonificante para el bíceps braquial ....................................................................204

Taping corrector y destonificante para los epicondíleos...............................................210

Taping para el drenaje y la descompresión del canal carpiano ...................................214

**Los casos particulares**

Taping para las cicatrices..............................................................................................228

# Prólogo

A fortunadamente, de un tiempo a esta parte, los terapeutas pueden escoger entre varios métodos de contención para tratar a todo tipo de pacientes, no solo a deportistas. Pero los materiales han evolucionado: los actuales son capaces de superar las prestaciones de las inmovilizaciones o los simples vendajes de mantenimiento, siempre que se utilice el sentido común y la imaginación. Cualquiera de nosotros es capaz de crear su propio montaje recortando las vendas, combinando los métodos. Paralelamente, los avances científicos y técnicos han favorecido la evolución de nuestra técnica:

- los hallazgos del doctor Guimberteau sobre la estructura de los tejidos y su funcionamiento han contribuido en la revisión de ciertos protocolos de tratamiento: la inmovilización estricta y duradera ha dado paso a una estrategia terapéutica basada en el movimiento;
- e incluso a la aparición de las tiras de colores adhesivas cuya acción está relacionada con el movimiento.

En la primera edición en francés de este libro, expliqué cómo y cuándo era conveniente realizar un strapping eficaz. Hoy en día, los años de experiencia sobre el terreno y la perspectiva me han servido para perfeccionar la técnica.

Estas ayudas externas deben formar parte de su arsenal terapéutico, igual que el masaje, la manipulación o la técnica del gancheo. Su acción es duradera (actúan las 24 horas del día), ampliando favorablemente el efecto de sus sesiones... ¡No prive de ello a sus pacientes! Y no dude en utilizarlas siempre que pueda.

# Introducción

Hoy en día, tanto la demanda de tratamientos como el nivel de exigencia de los pacientes van en aumento: no solo en las actividades corrientes, sino también en las deportivas, en especial en traumatología, reumatología, pediatría e incluso geriatría.

Por este motivo, en nuestro ejercicio diario, cada día cobran más protagonismo las vendas adhesivas y los demás sistemas de inmovilización, las ortesis.

Estos tratamientos o complementos de tratamiento permiten recuperar rápidamente la actividad diaria, sin empeoramiento de la lesión inicial y, sobre todo, favorecen una cicatrización dirigida y sólida, única garantía de una recuperación duradera de la función.

Pero ¿cuál escoger?

¿El strapping tradicional? ¿Las ortesis? ¿O el taping realizado con esas tiras adhesivas que empezamos a ver por todas partes?

Frente a estas múltiples opciones, el terapeuta debe recurrir a la lógica para utilizar la más adecuada en cada momento: veremos que aunque a veces tengan objetivos similares, estas técnicas son más un complemento que una competencia.

Mientras que el strapping o las ortesis protegen el organismo inmovilizándolo total o parcialmente, el taping estimula el proceso de curación (drenaje o descompresión) gracias a los movimientos que preserva.

Así pues, el taping no sustituye a los sistemas de compresión actuales, sino, al contrario, amplía su campo de acción (a veces, incluso pueden combinarse) proponiendo un concepto diferente. Aún más, este nuevo procedimiento abre un abanico de posibilidades de tratamiento para patologías en las que el uso de las vendas resultaban hasta entonces ineficaces: por ejemplo, en el caso de tensiones musculares, tendinitis incipientes, cicatrices adherentes, edemas crónicos, hematomas, lesiones musculares o incluso linfedemas.

**En primer lugar, esta guía aborda desde el punto de vista teórico:**

- El strapping, aún iniguable ya que puede hacerse "a medida".
- Las ortesis, cuyo aspecto práctico favorece cada vez más su utilización en los protocolos de tratamiento.
- El taping, la técnica más reciente, que se presenta en forma de vendas elásticas muy finas. Sin embargo, su elasticidad no permite limitar realmente una amplitud articular, y, para resultar eficaces, requieren movimiento.
- Los diferentes productos y materiales necesarios para cada técnica.

**A continuación, se centra en el aprendizaje, aplicación y perfeccionamiento de la técnica.**

Estos montajes no deben seguir un modelo fijo, sacado de un autor concreto. Por el contrario, en cada una de sus combinaciones, el terapeuta debe aunar lógica y sentido común. Sin duda, los primeros intentos no alcanzarán la perfección; pero la repetición, la reflexión y las conversaciones con el paciente le servirán para conseguir su objetivo.

Dicho esto, ¡buena práctica!

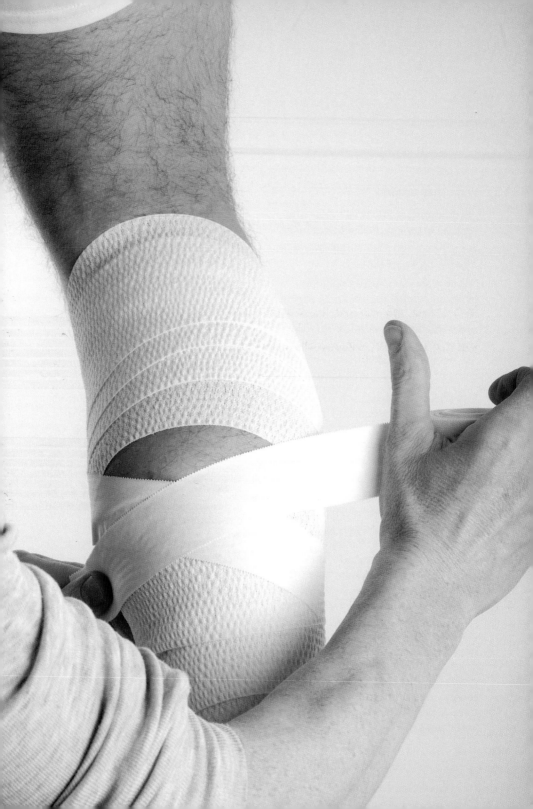

# CONSIDERACIONES

**Indicaciones según las patologías**

**Ventajas e inconvenientes de los materiales utilizados**

# Indicaciones según las patologías

| Materiales / Patología | Fractura parcelaria (costillas, metas) | Esguince D0 | Esguince D10 | Tendinitis inflamatoria y dolorosa | Tendinitis inicial con función indolora | Desgarro D0 | Desgarro D5 | Lumbalgia aguda | Lumbalgia crónica | Dolor meniscal | Contractura / Tensión muscular | Edema / Hematoma |
|---|---|---|---|---|---|---|---|---|---|---|---|---|
| Strapping rígido (venda inelástica) | X | X | | X | | | | | | | | X |
| Strapping semirrígido (inelástica o elástica) | X | | | X | | X | | X | | X | | |
| Strapping elástico (venda adhesiva) | | | X | | X | | | X | | | | |
| Strapping elástico (venda cohesiva) | | | | | | X | X | | | | | X |
| Taping | | | X | | X | X | | X | | | X | X |
| Ortesis rígida Movimiento imposible | X | X | | X | | | | X | | | | |
| Ortesis flexible Movimiento posible | | | X | | X | | | | X | X | | |
| Medias de compresión progresiva *BVSport®* | | | X (Tobillo) | | | | X (Triceps) | | | | X (Gemelo) | X (Pie Tobillo) |

# Ventajas e inconvenientes de los materiales utilizados

| Tipos de ortesis | Materiales | Ventajas | Inconvenientes | Escala de movimiento |
|---|---|---|---|---|
| Ortesis rígidas | Yeso | - barato<br>- maleable | - pesado<br>- friable<br>- no soporta bien la humedad<br>- secado lento | Movimiento imposible |
| | Resina sintética | - maleable<br>- endurece con rapidez<br>- muy resistente<br>- ligera | - bastante caro<br>- su realización requiere pericia | |
| | Termoformable | - producto transformable a baja o alta temperatura<br>- ligero y resistente<br>- muy maleable<br>- retransformable tras la realización<br>- soldadura por contacto y anclajes sólidos<br>- varios grosores | - caro<br>- su realización requiere pericia | |
| | Material de inmovilización (férula de rodilla, de muñeca, lumbar...) | - ligero y resistente<br>- disponible en farmacias<br>- hay varias tallas<br>- utilización práctica<br>- fácil de poner y sacar | - su precio elevado, según el caso<br>- demasiado fácil de retirar para ciertos pacientes | |
| Strapping semirrígido | Venda adhesiva inelástica (*Omnitape®*) | - muy buen manejo<br>- adaptado al cuerpo, "a medida"<br>- posibilidad de modular la rigidez de la contención<br>- aplicación muy práctica | - formación de arrugas durante los cambios de orientación<br>- riesgo de contención demasiado ajustada | Limita una o varias amplitudes de movimientos, deja libre los sectores autorizados |
| Strapping suave | Venda adhesiva elástica (*Extensa® Plus*) y cohesiva (*Lastopress®*) | - ofrece una buena tensión elástica<br>- posibilidad de modular la elasticidad de la contención<br>- aplicación muy práctica<br>- utilizable varias veces (venda cohesiva) | - pierde su eficacia mecánica rápidamente y a menudo requiere de un reajuste | Limita las amplitudes extremas |
| Taping | Venda adhesiva elástica | - fácil de aplicar<br>- muy suave, el paciente "se olvida de ella"<br>- trabajo a largo plazo | - los extremos del taping suelen despegarse<br>- los resultados no son inmediatos<br>- dificultad para conseguir las vendas | Sin limitación de movimiento |

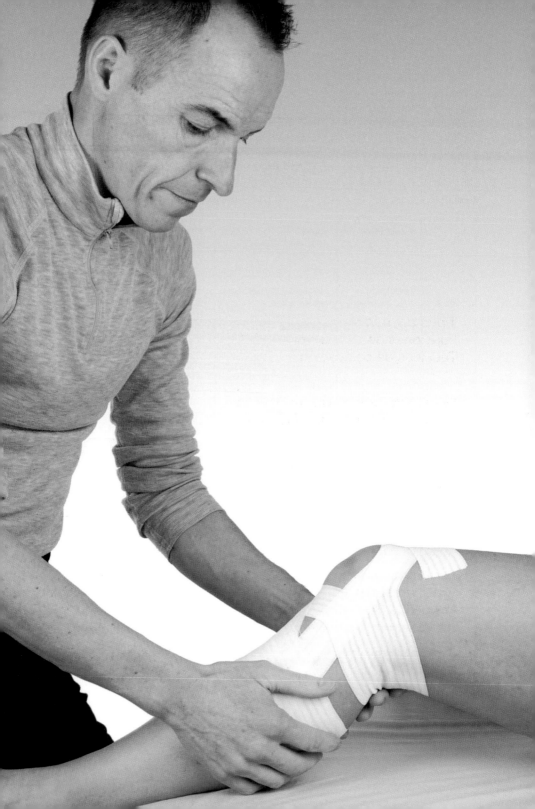

# EL STRAPPING
## o las contenciones elásticas

1. Las claves del éxito

2. Principios generales

3. Elementos técnicos
   Tipos de montaje
   Funciones de las vendas
   Técnicas de colocación

4. Material
   Las vendas adhesivas inelásticas
   Las vendas adhesivas elásticas
   Las vendas cohesivas

5. Propiedades
   Mecánicas. Neurofisiológicas. Psicológicas

6. Objetivos
   Terapéuticos. Preventivos
   Tabla recopilatoria

7. Indicaciones y particularidades por patología
   Articulares. Tendinosas. Musculares
   Pequeños traumatismos. En reumatología
   Alteraciones liquidianas

8. Contraindicaciones, ventajas e inconvenientes

# 1 | Las claves del éxito

*El strapping: la única técnica de inmovilización*
*que puede realizarse "a medida".*

Ser eficaz significa:
- adaptarse a todas las situaciones;
- elegir lo más adecuado;
- alcanzar el objetivo fijado;
- responder a las expectativas del paciente;
- reducir el dolor al momento y a largo plazo;
- realizar un montaje confortable;
- respetar las prescripciones de inmovilización.

Realizar un strapping correcto exige poder de reflexión, lógica y capacidad de síntesis, ¡porque existen tantas combinaciones como pacientes y patologías!

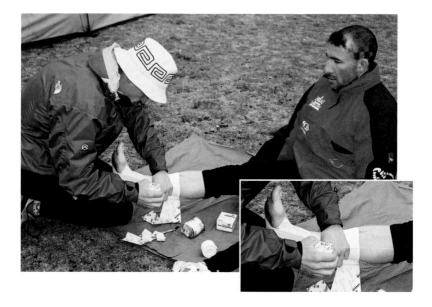

# Principios generales

Según su modo de realización, el strapping permite **sujetar**, **estabilizar**, **suplir** o **reforzar** una estructura anatómica que sufre, o limitar un movimiento o un sector angular concreto.

Dependiendo de su montaje, el strapping desempeña un papel determinado:
- **Antálgico:** alivia al paciente y lo tranquiliza.

- **Terapéutico:** para favorecer la cicatrización y la reabsorción del edema. En este caso, se coloca desde el momento en que se ha producido la lesión (traumatismo) o durante la fase inflamatoria (tendinitis), y se mantiene durante el período de cicatrización (el dolor es también un buen mecanismo de referencia).

- **Preventivo:** para evitar movimientos dolorosos o extremos (de un tejido recientemente cicatrizado), aunque la función esté permitida. Resulta ideal a la hora de retomar la actividad o cuando persiste una inestabilidad.

- **Correctivo:** en algunos casos, la limitación del movimiento a través de las vendas permite percibir los gestos que realmente deben evitarse.

- **"Mágico":** un buen dominio de la técnica junto con la implicación del individuo posibilitan la actividad física, a pesar de la molestia, favoreciendo así la recuperación.

**En general,** frente a una patología de origen mecánico, es lógico responder con un tratamiento mecánico; es decir, utilizar un sistema de inmovilización que garantice la conservación de la estructura o estructuras anatómicas dañadas.

# 3 | Elementos técnicos

Antes de entrar en detalles, y para una mejor comprensión, es importante definir desde ahora los términos utilizados a lo largo de esta obra.

## Tipos de montaje

▷ El strapping "restrictivo" mantiene, bloquea y limita las estructuras anatómicas dañadas para protegerlas. Impide de manera pasiva la aparición de un edema postraumático. Está compuesto por espuma protectora, anclajes y tiras activas. Responde a las necesidades terapéuticas y preventivas en función del tipo de venda utilizada.

*Strapping utilizado en el caso de una tendinitis del tibial anterior; limita la flexión plantar del tobillo.*

▷ El strapping "compresivo" es un vendaje circular, apretado, realizado con una cinta cohesiva cien por cien elástica para favorecer la coagulación sanguínea y limitar los trastornos vasculares. Yo lo utilizo desde el momento en que se produce la lesión, sobre todo en el caso de patologías musculares.

*El strapping compresivo (del cuádriceps) sirve para limitar la hemorragia y el derrame.*

▷ El strapping de "contrapresión" es también un vendaje circular; es menos ajustado que el anterior y se realiza con una cinta cohesiva o, en su defecto, una venda elástica (en este caso, se protegerá la piel con venda de espuma). Este montaje ejerce un mantenimiento permanente, independiente de la actividad, eficaz en la lucha contra los efectos secundarios (dolor, tensión de los tejidos, edema, derrame).

*Strapping en contrapresión, utilizado sobre un montaje restrictivo en una lesión del tríceps sural.*

# Funciones de las vendas

▷ **La venda de espuma** protege la piel ante posibles reacciones cutáneas (que pueden presentarse cuando las compresiones permanecen varios días en el mismo sitio). Su presencia evita las irritaciones en las zonas de rozamiento.

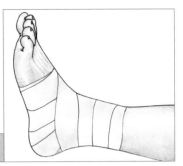

*Protección de los tegumentos con venda de espuma (tobillo).*

▷ **Las tiras de anclaje son vendas** circulares no extensibles que se utilizan para fijar el extremo inicial y el final de una inmovilización. Sirven para anclar las tiras activas y aportan un mayor mantenimiento. **Siempre se realizan con vendas adhesivas elásticas, colocadas sin ejercer tensión.**

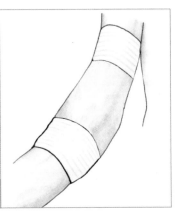

*Las tiras de anclaje superior e inferior para el strapping del codo.*

▷ **Las tiras activas** son las más importantes porque, una vez colocadas, tienen **un efecto correctivo inmediato:** limitan los movimientos de las articulaciones o de los segmentos del miembro. La eficacia del vendaje depende de su colocación. **Estos vendajes se realizan con vendas adhesivas inelásticas y vendas adhesivas elásticas.**

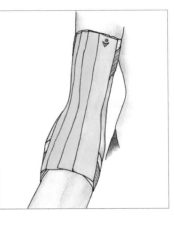

*Tiras activas que limitan la extensión del codo.*

# Técnicas de colocación

▷ **Las vendas "longitudinales"** son, en general, tiras activas colocadas de forma rectilínea y uniforme a lo largo de un miembro, o verticalmente cuando se trata del tronco. El brazo de palanca de estas contenciones depende de su longitud.

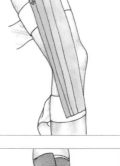

*Vendas longitudinales que protegen el compartimento interno de la rodilla.*

▷ **Las vendas en forma de espiral** giran (como su propio nombre indica) formando una espiral a lo largo del miembro. Pueden ejercer una acción sobre los componentes rotatorios de una articulación o de un miembro, o una función de mantenimiento cuando se utilizan para cerrar los vendajes.

*El vendaje en espiral (en rojo) impide que las tiras activas (en azul) se despeguen, limitando el estiramiento del tendón de Aquiles.*

▷ **Las vendas "transversales"** son aquellas que se aplican alrededor de un miembro o una articulación a modo de brazalete; en general, son las tiras de anclaje circulares o los segmentos de vendas que permiten adherir y mantener las vendas longitudinales o espirales.

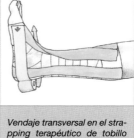

*Vendaje transversal en el strapping terapéutico de tobillo para tratar un esguince.*

▷ **Las vendas en forma de "espiga"** corresponden a la superposición en sentido oblicuo de dos vendas. Cuando se cruzan, se forma una V característica, como en los vendajes en forma de 8. La presión ejercida sobre los puntos de intersección es importante y proporcional al grosor de las vendas. Así pues, es importante cruzar las vendas teniendo en cuenta la zona que hay que proteger.

*Vendajes en forma de espiga en dirección a la articulación metacarpofalángica.*

*La técnica en brazalete duplica la superficie*
*adhesiva de la tira activa sobre el anclaje.*

▷ **La técnica en forma de "brazalete"** es un proceso que he utilizado para los strappings que pueden desprenderse con facilidad (tendón de Aquiles, por ejemplo). Permite multiplicar por dos la superficie de agarre en la base y, por consiguiente, mejorar la calidad del punto de anclaje (distal o proximal).
Basta realizar un corte en el centro de la cinta adhesiva, en sentido longitudinal. Obtendrá así dos hebras para cerrar el vendaje en forma de brazalete.

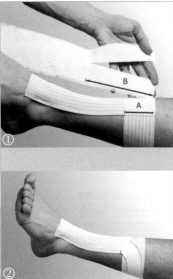

① - *Colocación clásica de la tira activa sobre el anclaje. A = longitud de venda pegada sobre el anclaje = x.*

② - *Colocación en forma de brazalete de la tira activa sobre el anclaje. B = longitud de venda pegada sobre el anclaje = 2x. Este sistema garantiza un mejor mantenimiento.*

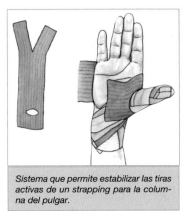

▷ **La técnica con agujero.** Para mayor comodidad, y buscando la eficacia, a veces hay que agujerear la cinta para que pueda pasar el dedo de la mano o del pie, o la columna de un pulgar. Basta con localizar el lugar adecuado para hacer el agujero, doblar la cinta y recortar una media luna. Este sistema resulta eficaz para estabilizar una articulación o las vendas que se hayan colocado anteriormente.

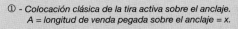

*Sistema que permite estabilizar las tiras activas de un strapping para la columna del pulgar.*

✎ La colocación de las vendas no sigue un modelo fijo, todo lo contrario: deje volar la imaginación, experimente, innove...; en resumen, haga sus propios montajes.

Los strappings se distinguen de las demás formas de contención por la naturaleza de las vendas utilizadas. Ya sean adhesivas elásticas, adhesivas inelásticas o no adhesivas, ¡los materiales existentes hoy en día ofrecen a los terapeutas la posibilidad de realizar montajes adecuados y eficaces!

## Las vendas adhesivas inelásticas

▷ **Características**

Estas vendas, cien por cien de viscosa[1], tipo *Omnitape®*, no tienen capacidad de alargamiento ni ensanchamiento. Por su inelasticidad, tienen una potente acción estabilizadora. Su escaso grosor, en general, permite la multiplicación del número de capas. Gracias a sus bordes dentados, son fáciles de rasgar con la mano, tanto a lo largo como a lo ancho.

▷ *Este tipo de cinta permite:*
- realizar tiras activas;
- ejecutar montajes con una intención terapéutica;
- ajustar los strappings (terapéutico o preventivo) al cerrarlos, para obtener una contención "a medida";
- reforzar un strapping que con el tiempo tiende a aflojarse;
- cerrar ciertos strappings, realizando vendajes circulares abiertos y sin tensión.

▷ *Este tipo de venda no permite:*
- la realización de anclajes;
- la realización de vendajes en forma de espiral para cerrar un montaje.

---

1 La viscosa tiene propiedades parecidas a las del algodón: poco elástica, se arruga con rapidez, sin apelmazarse. Primero llamada "seda artificial", fue creada para responder a la demanda de tejidos similares a la seda, pero más económicos.

> *Anchura de las vendas*

La anchura más corriente es la de 3,75 o 4 cm; también las hay de 2 cm. La cinta *Omnitape®* se rasga fácilmente, tanto a lo ancho como a lo largo. De este modo es fácil adaptar las dimensiones según convenga.

> *Para una mejor adaptabilidad de las vendas*

Dependiendo de las zonas lesionadas, estas cintas no siempre son fáciles de aplicar, porque no se adaptan a los relieves impuestos: con los cambios de orientación, se arrugan con frecuencia. Para facilitar su colocación, he aquí algunos consejos:

- Empiece colocando la parte central de la venda donde usted quiera que resulte eficaz: las extremidades distales y proximales se adaptarán enseguida a la anatomía. De esta manera, ¡obtendrá la inclinación adecuada desde el primer intento y sin que se arrugue!
- Cuando necesite una inclinación más importante, recorte la venda unos milímetros, a lo ancho, en la convexidad de la cinta. Así podrá colocarla más fácilmente en la dirección escogida.
- Finalmente, la aplicación de la cinta será más fácil si la coloca sobre una venda de espuma protectora o, aún mejor, sobre una cinta adhesiva elástica tipo *Extensa® Plus.*

Con esta contención, **el paciente debe sentirse sujeto o limitado, pero en ningún caso comprimido**. De hecho, este tipo de venda inelástica presenta riesgos de compresión si el vendaje está demasiado ceñido.

# Las vendas adhesivas elásticas

▷ **Características**

Estas vendas, cien por cien de algodón, tipo *Extensa® Plus*, son elásticas (+/- 50 %) únicamente a lo largo, característica que hace que sean aplicables con facilidad. Gracias a su textura fina y flexible, se adaptan mejor a los diferentes relieves anatómicos, lo cual reduce la aparición de arrugas. La adherencia es perfecta bajo cualquier circunstancia.

Tienen la ventaja de no bloquear rigurosamente las estructuras que hay que inmovilizar. Según le convenga, usted puede determinar el grado de tensión en función de la naturaleza de la lesión y de su estadio.

Pero su propiedad más interesante es **la tensión elástica**.

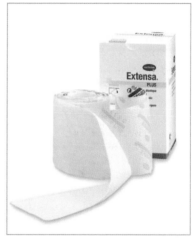

▷ *Este tipo de venda permite:*

- elaborar tiras activas;
- realizar anclajes;
- cerrar la mayoría de los strappings, realizando vendajes circulares o en espiral sin tensión ni presión;
- realizar montajes preventivos para evitar las recaídas;
- suplir una estructura anatómica: gracias a su elasticidad, la venda asiste al tejido lesionado o deficiente;
- educar al paciente, porque la tensión, la "tirantez" de la piel o del sistema piloso le indican que no debe realizar un movimiento o un gesto;
- favorecer la acción circulatoria, cuando esta ejerce contrapresión.

Las anchuras utilizadas son de 3, 6, 8, 10 y 20 cm (para la espalda). La venda *Extensa® Plus* se rasga manualmente en sentido longitudinal.

Utilizadas solas, estas vendas se aflojan enseguida (cf. dibujo de más abajo), y su propiedad elástica disminuye proporcionalmente a la fuerza ejercida contra ella. El vendaje pierde entonces su eficacia. Por este motivo, suelo combinar las vendas adhesivas elásticas con vendas inelásticas.

Con esta contención, **el paciente debe sentirse sujeto o limitado, pero en ningún caso comprimido** (sobre todo si debe realizar una actividad física).

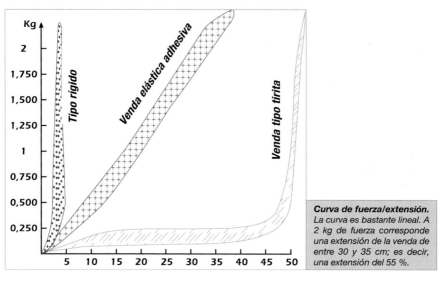

**Curva de fuerza/extensión.** *La curva es bastante lineal. A 2 kg de fuerza corresponde una extensión de la venda de entre 30 y 35 cm; es decir, una extensión del 55 %.*

*Alargamiento en centímetros*

Tenga en cuenta que puede recurrir a una venda adhesiva elástica menos elástica (cf. p. 91). Para atenuar la tensión elástica, basta con frotar varias veces seguidas la parte de tela de la venda con una superficie dura (el borde de una puerta o el respaldo de una silla de madera) manteniéndola firmemente estirada.

# Las vendas cohesivas

▷ **Características**

Se adhieren sobre sí mismas y no sobre la piel ni el vello. Son elásticas en sentido longitudinal y están disponibles en diferentes grosores. Según la marca, son más o menos reutilizables.

| Productos | Reutilizable después de la primera aplicación |
|---|---|
| *Tensoplus®* | Fácilmente |
| *Co-plus®* | Difícilmente |
| *Lastopress®* | Difícilmente |

Este tipo de venda se utiliza principalmente en caso de patologías musculares con lesiones anatómicas, cuando hay riesgo de hemorragia y aparición de edema.

▷ *Este tipo de venda permite:*

- **Una compresión**, en el momento en que se produce la lesión, cerrando el vendaje de forma circular (estirando la venda al cien por cien), lo que favorecerá la coagulación sanguínea y limitará los trastornos tróficos.
- **Una contrapresión**, que se producirá horas después del accidente y en los días posteriores. Menos ceñida que la compresión (venda estirada al 70 %), su objetivo es obtener una sujeción global de las masas musculares para reducir la tensión intramuscular.

▷ *Anchura de las vendas:*

Las anchuras más comunes son las de 7 y 10 cm. Estas vendas están disponibles en blanco y en color carne.

Este tipo de contención no ejerce ninguna acción mecánica de limitación de la extensibilidad muscular, por ello a menudo están asociadas a contenciones restrictivas.

# 5 | Propiedades

Las contenciones elásticas adhesivas deben su eficacia a cuatro propiedades: mecánica, exteroceptiva, propioceptiva y psicológica.

## Mecánicas

Ya sea que se trate de una lesión capsuloligamentaria (esguince), tendinosa, muscular u osteoarticular, el strapping debe reforzar, suplir, sujetar y estabilizar las estructuras anatómicas deficientes: coloca las articulaciones o el segmento del miembro en posiciones que les protegen del mecanismo lesivo y de amplitudes dolorosas. Sin embargo, no hay que olvidar el aspecto funcional y confortable de estas inmovilizaciones.

### Los puntos más importantes

Para que la acción mecánica resulte eficaz, usted debe tener en cuenta **la naturaleza de las vendas que tiene a su disposición** y los siguientes factores:
- la colocación de las tiras activas con relación al eje de movimiento;
- el ángulo de inmovilización (a lo largo del músculo);
- la longitud de las vendas utilizadas o brazo de palanca;
- la tensión ejercida sobre la venda;
- el número de vendas utilizadas y sus cruzamientos;
- la presión ejercida, o ley de Laplace;
- la duración del vendaje original sin que se haya reforzado;
- la calidad de la masa adhesiva de las vendas utilizadas.

### ▷ La colocación de las tiras activas

Las tiras activas son las vendas rígidas o elásticas que controlan la movilidad de una articulación o de un segmento de miembro.
Su eficacia depende de su colocación con relación a los ejes de movimiento.
En todos los montajes, siempre hay una venda que restringe más eficazmente que las otras el movimiento o los movimientos que deben evitarse. Yo la he llamado **"la venda esencial"**.

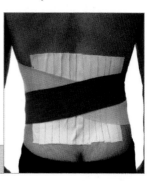

*La venda esencial (blanca) limita la flexión anterior del tronco. Está colocada verticalmente con relación al eje de movimiento.*

*Ejemplo:*

- Para limitar **la flexión**, hay que poner las vendas en el sentido de la extensión con relación al eje de la articulación, que en este caso es transversal: coloco la articulación en extensión y la venda esencial se coloca y se extiende en el sentido de la extensión.

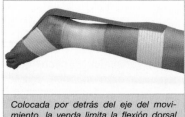

*Colocada por detrás del eje del movimiento, la venda limita la flexión dorsal del tobillo, si este se coloca previamente en extensión.*

- Para limitar **una aducción**, hay que colocar las vendas hacia fuera con relación al eje, que en este caso es sagital[2]: coloco la articulación en abducción y la venda esencial se coloca y se extiende en el sentido de la abducción.

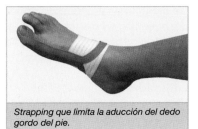

*Strapping que limita la aducción del dedo gordo del pie.*

- Para limitar **una rotación externa**, hay que colocar las vendas por dentro del eje, que entonces es vertical: coloco el miembro o la articulación en rotación interna y la venda esencial se coloca en el sentido de la rotación interna.

| Aplicación | Como norma general, para limitar un movimiento basta con colocar las vendas en el sentido opuesto al movimiento que ha causado la lesión o las lesiones. | *¡Para no equivocarse!* |
|---|---|---|

---

2  Sagital: califica un plano de movimiento. Se trata de un movimiento que se realiza de delante hacia atrás o de atrás hacia delante. Otra denominación: plano anteroposterior.

El recorrido de un músculo viene definido por el total de amplitud de movimiento que es capaz de realizar, teniendo en cuenta uno o varios ejes.

Hablamos de:

- **Recorrido interno (A)** cuando los dos puntos de inserción de un músculo tienden a aproximarse uno a otro.
- **Recorrido externo (C)** cuando los dos puntos de inserción del músculo están más alejados uno del otro.
- **Recorrido medio (B)** cuando el sector angular está entre el recorrido interno y el recorrido externo.

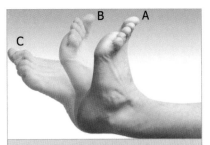

*En cuanto a los movimientos de tobillo, cuando el pie está muy encogido, hablamos de recorrido interno (A); si está alineado al eje de la pierna, hablamos de recorrido externo (C), y en posición intermedia, hablamos de recorrido medio (B).*

El objetivo final y, sobre todo, la naturaleza de las vendas que tenga a su disposición determinarán la elección del recorrido de inmovilización:
- Si usted sólo tiene vendas elásticas *Extensa Plus®* y quiere que una articulación tenga poca amplitud de movimiento, realizará la inmovilización en posición muy encogida o recorrido interno (porque la elasticidad de las vendas le hará perder algunos grados).
- Si, por el contrario, usted dispone de vendas no elásticas tipo *Omnitape®* y quiere, de todos modos, que la articulación tenga poca amplitud de movimiento, usted inmovilizará en posición de función o en curso medio.

▷ **La longitud de las vendas utilizadas o "brazo de palanca"**

Las tiras activas controlan mejor la movilidad articular **cuando sus brazos de palanca son grandes**. Para unir eficazmente dos piezas entre ellas por una sujeción, esta última debe tener longitud y poder rodear cada una de las dos partes, para realizar un "amarre"[3]. La resistencia del montaje es equivalente a la capacidad de los brazos de palanca (dibujo de al lado): cuanta mayor masa adhesiva haya, más durará.

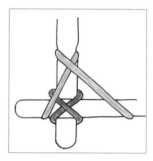

La elección del brazo de palanca depende:
- de la vendas que tenga a su disposición (rígida o elástica);
- de la articulación que hay que inmovilizar (hay articulaciones más móviles que otras);
- del estadio de la lesión;
- del tiempo de mantenimiento del strapping;
- de la actividad física cuando esta sea posible;
- de lo que desee a veces el individuo.

*La rodilla es una articulación ligeramente encajada, una buena estabilización de esta obliga a utilizar un gran brazo de palanca.*

**Aplicación**

- Cada vez que se rodee o enrolle la venda alrededor de un segmento óseo (como es el caso del tobillo o el dedo gordo del pie), aumenta la resistencia al deterioro.
- La importancia del brazo de palanca determina la eficacia: ¡hay más tensión y más masa adhesiva!

---

3  Amarre: fijación por medio de cordaje.

## La tensión ejercida sobre la venda

**La tensión de las vendas** permite ajustar con precisión la tensión elástica limitando la amplitud dolorosa del movimiento.

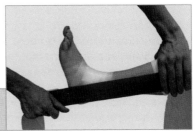

*La tensión de la venda en un lugar concreto debe responder a un objetivo. En este caso, prevenir el varo después de un esguince externo de tobillo.*

**Aplicación**

- La tensión debe ser personalizada, teniendo en cuenta la lesión, su estadio y las necesidades del paciente (según sus hábitos, más o menos apretada…).

- ¡Ojo! La tensión aplicada a la venda puede causar molestias, incomodidad o producir dolor.

## El número de vendas utilizadas y sus cruzamientos

La presión ejercida por una venda es proporcional a la cantidad de capas. Sabemos que la fuerza de una venda reside en su centro. Cuantas más vendas superpuestas, mayor fuerza. Con dos vendas, la presión se duplica; con tres, se triplica. Así pues, es importante colocarlas correctamente.

**Aplicación**

- El número de vendas utilizado debe responder a un objetivo preciso en un momento dado: como norma general, se multiplicarán los cruzamientos en la zona de la lesión para protegerla.

## La presión ejercida, o ley de Laplace

La contención ejercerá una contrapresión externa, lo que por una parte permite una descongestión tisular (por aumento de la presión extravascular) y, por otra, una reducción de la estasis (por disminución del calibre venoso y aceleración de la circulación venosa).

Esta ley tiene en cuenta tres elementos que condicionan la presión sobre la piel: la tensión de la venda, la cantidad de capas de la venda y el radio de curvatura del segmento.

### Ley de Laplace y presión de vendaje

**La presión** ejercida por la tensión constante de un vendaje depende de los radios de curvatura del segmento que hay que inmovilizar (vea el esquema de abajo). Si tomamos el corte transversal del tobillo, observamos huecos y salientes. Colocar espuma de relleno[4] en los huecos anatómicos permite aumentar la convexidad de la zona, reducir el radio de curvatura e incrementar la presión en los espacios retromaleolares. Efectivamente, conforme a la ley de Laplace, la presión puntual es proporcional a la tensión utilizada, y la tensión constante, inversamente proporcional al radio de curvatura.

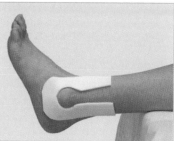

*Distribución de las vendas de espuma de relleno tras un esguince externo de tobillo.*

Cuando hay un riesgo significativo de derrame, es conveniente rellenar las zonas de vacío anatómico para aumentar la presión puntual. Aumentando la convexidad de estos huecos, reducimos el radio de curvatura (ley de Laplace).

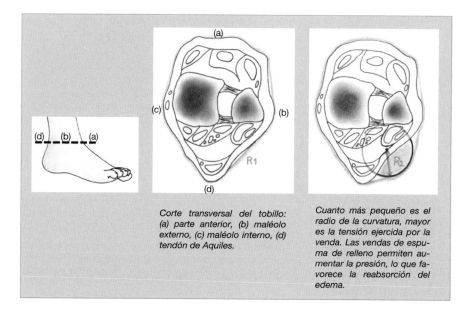

Corte transversal del tobillo: (a) parte anterior, (b) maléolo externo, (c) maléolo interno, (d) tendón de Aquiles.

Cuanto más pequeño es el radio de la curvatura, mayor es la tensión ejercida por la venda. Las vendas de espuma de relleno permiten aumentar la presión, lo que favorece la reabsorción del edema.

---

4  Espuma de relleno tipo *Kusnionflex*® (*Kinétec*) o tipo *Cramer*®.

## ▷ Duración del vendaje original sin refuerzo

Como norma general, una contención terapéutica permanece colocada entre dos y cuatro días. Por el contrario, una contención preventiva se lleva mientras se mantiene la actividad física: unas horas, medio día, incluso un día entero.

A partir del momento en que la contención no cumple su papel inicial, deberá reforzarse, porque con el paso del tiempo, las cargas y las presiones repetidas aflojarán las vendas y, por consiguiente, la función de sujeción disminuirá. Cuanto más largo sea el ejercicio, más se aflojarán; de ahí el interés de que en el montaje se utilicen tiras activas largas y vendas inelásticas.

*En el vendaje terapéutico o preventivo (como en la imagen de al lado), el strapping debe estar convenientemente cerrado para conservarse durante más tiempo.*

Aplicación

Factores determinantes para mantener un strapping en buenas condiciones:
- el uso de un brazo de palanca importante;
- un buen cierre, para que las tiras activas no se desprendan enseguida (cf. p. 94);
- realizar un refuerzo en el momento en que se percibe una disminución de la sujeción...

| | |
|---|---|
| Unos minutos | **Compresión** realizada con las vendas cohesivas para limitar la hemorragia. Técnica básicamente utilizada en el caso de los daños musculares con lesiones anatómicas. |
| Unas horas | **Strapping preventivo restrictivo** que permanece colocado mientras se lleva a cabo la actividad deportiva o profesional. |
| De 3 a 4 días | **Strapping en contrapresión** realizado tras producirse una lesión muscular y que debe permanecer colocado hasta que desaparezca el dolor durante las actividades de la vida diaria. |
| De 6 a 8 días | **Strapping terapéutico restrictivo** en caso de daño muscular con lesión anatómica (desgarro), esguince leve y tendinitis en fase inflamatoria. |
| De 12 a 21 días | **Strapping restrictivo** para todos los esguinces medianos y graves. |
| 45 días | **Strapping restrictivo** para los traumatismos óseos con línea de fractura. |

▷ La calidad de la masa adhesiva de las vendas utilizadas

Cuando las tiras se colocan sobre un segmento corporal, su resistencia a despegarse está condicionada por la calidad de la masa adhesiva de las vendas y por la longitud de la venda utilizada (brazo de palanca) que aumenta la superficie de adhesión.

La eficacia del strapping dependerá también de la marca de la venda utilizada. De una marca a otra, existen varias diferencias en cuanto a tejido y adhesión de las vendas.

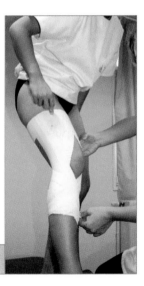

La rodilla es una articulación muy móvil; la longitud de las vendas adheridas condiciona la buena sujeción de la articulación.

Aplicación

- Insistir en la calidad de la venda utilizada = escoger bien su marca.

- La longitud de la venda utilizada (brazo de palanca) influye.

# Neurofisiológicas

▷ **Los receptores**

La información se recoge gracias a los receptores, que en todo momento indican la posición del cuerpo y de los diferentes segmentos del miembro en el espacio. Existe una amplia gama de receptores –musculares, tendinosos, articulares, cutáneos, vestibulares–, así como aferencias causadas por la visión periférica.

▷ **Descripción**

▷ *Los husos neuromusculares.* Son formaciones muy elaboradas situadas en la parte carnosa de todos los músculos, pero su densidad varía: es más elevada en los músculos que participan en los movimientos finos (como los músculos de la mano). Estos husos neuromusculares son sensibles al estiramiento y a la vibración del músculo.

▷ *Los órganos tendinosos de Golgi.* De hecho, estos órganos se sitúan raramente en los tendones. Están ubicados en cadena con respecto al músculo, en las confluencias musculotendinosas y musculoaponeuróticas. Reaccionan a la tensión ejercida sobre las fibras musculares, en estiramiento o encogimiento (contracción).

▷ *Los receptores articulares.* Estos mecanorreceptores son los corpúsculos de Ruffini y los corpúsculos de Paccini. Los primeros (más abundantes) se sitúan en las cápsulas y ligamentos articulares. Proporcionan una descarga permanente, ajustada a la frecuencia según las posiciones articulares. Los receptores se activan cuando el ángulo es superior a 15°-30°.
Los corpúsculos pacciniformes, menos abundantes, están situados en la cápsula articular. Activados por los movimientos articulares rápidos, se mantienen inactivos cuando la articulación permanece inmóvil.

▷ *Los receptores cutáneos.* La piel está dotada de cierto número de receptores capaces de proporcionar informaciones de tipo propioceptivo y exteroceptivo. Estos mecanorreceptores pueden reaccionar a diversos estímulos: los estiramientos duraderos o no de la piel, los rozamientos, las presiones… (Cuando estas informaciones son facilitadas por elementos externos como la venda adhesiva, se habla de efecto exteroceptivo.)

▷ *Los receptores vestibulares.* Los receptores vestibulares son sensores angulares (canales semicirculares) y sensores lineales verticales u horizontales (para los otolitos). Desempeñan un papel privilegiado en la organización específica de las actividades posturales y cinéticas. En todo momento, indican la posición de la cabeza en el espacio.

> *Las aferencias causadas por la visión periférica.* **Las aferencias relaciona-das con la visión periférica son indispensables en el programa motor de los miembros superiores (movimiento de prensión). Estas completan las informaciones vestibulares y cinestésicas.**

| Las solicitaciones propioceptivas y exteroceptivas en función de la estimulación de los receptores | | | |
|---|---|---|---|
| Tensión sobre la piel | Tensión sobre el músculo | Tensión sobre el tendón | Movimiento de la articulación |
| Mecanorreceptores o receptores cutáneos | Bloque neuromotor | Órganos de Golgi | Corpúsculos de Ruffini y Paccini |
| Sensible a la tracción, presión o rozamiento de la piel y del sistema piloso | Sensible a la longitud del músculo (estiramiento, contracción y vibración) | Sensibles a la tracción del músculo (contracción o estiramiento) | Sensibles a los movimientos y a las posiciones de la articulación |
| ⇩ | ⇩ | ⇩ | ⇩ |
| Sistema sensorial exteroceptivo y propioceptivo | Sistemas sensoriales propioceptivos | | |

> ## La propiocepción

La propiocepción es la resultante del tratamiento de las informaciones sensitivas y motrices que permiten definir la posición del cuerpo y de sus segmentos con relación al espacio. Propia de cada uno, se desarrolla gracias a las sensaciones que recogen los propioceptores.

Es muy importante en el caso de los deportistas, ya que interviene en el control de las situaciones de desequilibrio: ¡también participa en la estabilidad de los apoyos y en la correcta ejecución del gesto!

Ahora bien, tras una lesión o en caso de inestabilidad, los diferentes dispositivos utilizados en patología ortopédica recurren, normalmente, a las propiedades de estabilización articular.

*Paralelamente a toda inmovilización, debe practicarse con regularidad una reeducación de la propiocepción*

Por este motivo, la reeducación "de la propiocepción" consiste en estimular al paciente, modificando estas sensaciones que "facilitan" el movimiento, para activar un gesto, ya sea para reforzarlo o para ganar rapidez, o para controlarlo mejor anticipando las actividades motrices.

Aunque algunos autores afirman que llevar una contención aumenta el tono de base –lo que puede mejorar la atención del sujeto–, esta propiedad no nos parece imprescindible. De hecho, es difícil apreciar la participación del factor propioceptivo cuando se lleva una contención adhesiva, sobre todo si esta se realiza con vendas inelásticas, que tienen tendencia, por el contrario, ¡a oponerse a esta propiedad!

*Refuerzo propioceptivo del tobillo y del mediotarso sobre una tabla de propiocepción.*

▷ La exterocepción

Se trata de una propiedad propia de las contenciones flexibles adhesivas.

Se desarrolló gracias a los exteroceptores (mecanorreceptores), las terminaciones nerviosas sensitivas (receptor sensitivo en la piel, el vello…) que recogen las sensaciones generadas por un elemento externo, en este caso, la venda adhesiva elástica.

En general, la respuesta a estos estímulos solicita varios grupos musculares cuyas contracciones revisten el aspecto de una reacción de defensa contra una estimulación nociva.

Esta propiedad resulta fundamental en el caso de las contenciones preventivas destinadas a la actividad física; de hecho, si el movimiento supera las amplitudes articulares permitidas por la contención, se registra una tracción del plano cutáneo que tiene como efecto:

- Informar al sistema nervioso central del riesgo de lesión a través de informaciones aferentes de origen cutáneo y, de paso (por vía refleja), favorecer la contracción de los músculos antagonistas (vías eferentes) que se oponen al movimiento doloroso.

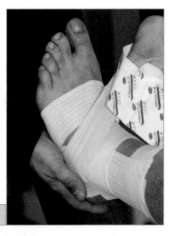

*Strapping preventivo tras esguince de tobillo.*

- Participar, en ciertas situaciones, en la educación del sujeto, orientándolo hacia los movimientos de substitución, desde que nota la tracción de la venda sobre la piel.

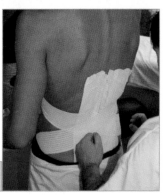

*Strapping restrictivo y correctivo para la lumbalgia (fase aguda).*

Esta propiedad dependerá de varios factores:
- de la colocación acertada de las tiras con relación al eje del movimiento;
- de la tensión ejercida por la venda en ciertos lugares.

**Aplicación**

**Para colocar un strapping preventivo, es importante que no se rasure la zona que hay que tratar (una zona afeitada pierde sensibilidad táctil).**
Sin embargo, si el sistema piloso es abundante, es preferible rasurar la zona a utilizar venda de espuma protectora.

# Psicológicas

La propiedad psicológica es una constante en la acción de los strappings. Aportan sensación de bienestar, seguridad y estabilidad a los pacientes, a los profesionales en situación de retomar la actividad diaria o al atleta antes de una competición, unido a los efectos de las acciones mecánicas, antálgicas y neurofisiológicas. Calman y devuelven la confianza.

*Arma sensacional: la contención alivia, elimina el dolor, sube la moral…*

Pero cuidado, esta sensación de confort no debe implicar dependencia. El objetivo de todo terapeuta debe ser, a corto o medio plazo, enseñar de nuevo a sus pacientes a vivir sin estos vendajes.

# Objetivos

Hay dos grandes objetivos:
- **Terapéutico:** favorecer la cicatrización y la acción circulatoria, aliviar el dolor.
- **Preventivo:** prevenir los movimientos dolorosos o peligrosos (para un tejido recientemente cicatrizado) para evitar la recaída, o en caso de inestabilidad residual. En cualquier caso, este tipo de strapping no debe oponerse a la función.

Para alcanzar estos objetivos, aparte de la acción circulatoria, cabe pensar en términos de limitación de movimiento.

| Objetivos que se persiguen con el strapping | | |
|---|---|---|
| Acciones | Strapping terapéutico | Strapping preventivo |
| Bloquear, mantener, corregir | x | |
| Limitar un sector angular, estabilizar | x | x |
| Educar | x | x |
| Suplir un tejido, ayuda activa | x | x |
| Drenar, reabsorber un edema | x | |
| Aliviar un dolor | x | |

En la práctica, no hay mucha diferencia técnica entre un strapping terapéutico y un strapping preventivo. La orientación de las tiras activas se parece mucho; la naturaleza y el número de vendas utilizadas varía, así como el cierre del vendaje.

## Objetivos terapéuticos

Este strapping permite **mantener** o **estabilizar** una zona, o **limitar** o **impedir** un movimiento, lo que garantiza el reposo de las diferentes estructuras dañadas. También amplía el efecto de los cuidados realizados, mejora la cicatrización, favorece el drenaje y participa en aliviar el dolor. Se utiliza junto con la prescripción médica, en el marco de una patología, tras un traumatismo o en una fase inflamatoria.

Este montaje denominado "terapéutico" se renovará cada 3 o 4 días, mientras dure la cicatrización. Los primeros días resulta muy restrictivo, pero ganará elasticidad a lo largo de la recuperación.

▷ **Acciones: bloquear, mantener y corregir**

Desde el traumatismo y tras los primeros cuidados, la prioridad es sujetar y estabilizar. Utilizar el strapping en los siguientes casos:
- todos los esguinces, sea cual sea su estadio de gravedad;
- los accidentes musculares;
- las inflamaciones hiperálgicas, como las tendinitis, los lumbagos agudos, los síndromes rotulianos.

Principios y productos utilizados

Coloque en posición encogida o de relajación los elementos lesionados; es decir, en posición inversa al movimiento que ha creado el traumatismo. Utilice:
- **La espuma protectora:** indispensable para llevar a cabo la inmovilización en las mejores condiciones posibles. Aplíquela sobre toda la zona que hay que estabilizar, en círculos ligeramente estirados que sobrepondrá por la mitad.
- **La venda adhesiva elástica,** tipo *Extensa® Plus*, sirve para realizar los anclajes y cerrar el vendaje.
- **Las vendas adhesivas inelásticas,** tipo *Omnitape®,* son las tiras activas. Generalmente, se unen con las vendas adhesivas elásticas para realizar un vendaje mixto. También pueden servir para cerrar el vendaje.

| Estrategia para la realización de un strapping terapéutico según el tipo de venda disponible | | | |
|---|---|---|---|
| Venda disponible | Posición de la articulación o recorrido | Brazo de palanca | Tensión sobre la venda |
| Sólo elástica | Recorrido interno | Importante | ++ |
| Sólo rígida | En posición de función o recorrido medio | Medio a débil | 0 |

Si solo dispone de una venda adhesiva, para hacerla más rígida es posible "romper" la elasticidad (cf. p. 91).

Período de inmovilización
**Esta contención permanecerá colocada mientras dure el proceso de cicatrización,** evolucionará en función de la recuperación y se renovará durante las sesiones de curas.

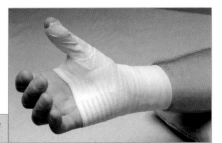

*Strapping terapéutico tras esguince de la articulación metacarpofalángica del pulgar.*

▷ **Acción circulatoria: drenaje y reabsorción**

Los accidentes provocan la aparición de hematomas, edemas o hidrartrosis. Muy a menudo, estos trastornos agravan el marco inicial; sería un error menospreciarlos y ocuparse solo del tratamiento mecánico funcional, porque, según Bassi y Stemmer, los procesos fisiológicos circulatorios aumentan bajo la acción directa de vendas flexibles. Bolliger lo confirmó registrando una mejora muy clara de la reabsorción durante los movimientos activos con una contención (cf. p. 33).

Se distinguen dos fases: el día de la lesión y los días sucesivos, en los que el strapping debe favorecer el drenaje y **la reabsorción del edema o del hematoma.**

▷ *En el momento de la lesión*
Principios y productos utilizados

Antes de aplicar el foco de frío que elija, debe realizarse una compresión apretada, que debe llevarse durante 5 o 6 minutos.
Utilice una venda cohesiva colocada en forma de círculos con una tensión constante (cerca del cien por cien), en el sentido distoproximal. El efecto compresivo obtenido ejerce una presión activa permanente.

Período de inmovilización
No debe dejarla más de 5 o 6 minutos.

El strapping debe lograr una acción restrictiva y circulatoria.

Si la naturaleza de esta contención es poco elástica, el efecto será más restrictivo que compresivo. Así pues, la presión ejercida dependerá de la variación de volumen del miembro durante la contracción muscular o de la movilización articular.

Período de inmovilización

**Este strapping permanecerá colocado hasta que el edema se haya reabsorbido.**

El vendaje se renueva en cada sesión de curas.

Recuerde que:

- **Con una venda inelástica o poco elástica** el efecto restrictivo obtenido se opone pasivamente al aumento de volumen, sobre todo cuando aparece un edema o un músculo se hincha durante su contracción. Esta contención resultará eficaz durante la marcha y reforzará la potencia de la bomba muscular del gemelo, que favorece el retorno venoso.

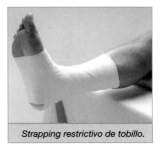

*Strapping restrictivo de tobillo.*

- **Con una venda elástica** (cohesiva o adhesiva) el efecto compresivo obtenido ejerce una presión activa permanente, independiente de la actividad o de la inactividad. Así pues, es preferible retirar estas vendas por la noche, so pena de ejercer una presión excesiva.

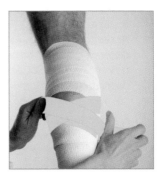

Para aumentar el efecto compresivo sobre la zona elegida, basta con superponer trozos de vendas (colocadas en forma de espiga) sobre esta zona (foto de arriba).

- **Calcetines según el concepto de la contención progresiva[5] BV Sport**

Estos productos responden a criterios que favorecen la reabsorción. Hay varios conceptos de contención-compresión. El más clásico y el más antiguo, elaborado por la mayoría de las marcas, está dirigido a las personas que padecen enfermedades venosas. El principio utiliza la regresión de las presiones de "abajo arriba": es decir, de las presiones máximas del pie y del tobillo, y débiles a la altura del gemelo. Ahora bien, tras sufrir un traumatismo en el gemelo, el efecto debe ser inverso, es decir, progresivo, con presiones más débiles en el pie y el tobillo, y máximas en el gemelo (sin ejercer de torniquete).

Este último se comporta como una auténtica esponja: puede absorber un gran volumen de sangre venosa muscular. Pero la dilatación que conlleva acumula una cantidad de sangre que se estancará y formará un volumen residual.

Si añadimos a la particularidad del músculo sóleo –elemento principal del tríceps sural que a partir de los 25 años de edad registra la desaparición de sus válvulas provocando el aspecto sinuoso y varicoso de sus venas– un traumatismo o microtraumatismos repetidos (como las sacudidas de hiperpresión en las venas del gemelo durante un gran esfuerzo), la contención/compresión progresiva® resulta útil.

Actuando como aponeurosis complementaria, este sistema de contención-compresión progresiva® patentada por *BV Sport*® mantiene y favorece el drenaje.

En la práctica: tras sufrir un traumatismo (en el tobillo o en el gemelo), tras el esfuerzo, póngase, desde la mañana, los calcetines de recuperación tipo *BV Sport® Confort* (25-30 mm Hg).

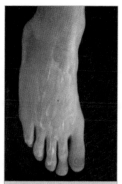

*Edema del empeine en D0, los tendones del pie ya no se ven.*

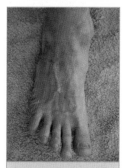

*Pie en D+2 después de andar durante 3 horas con los calcetines de recuperación PRO. Los tendones vuelven a aparecer.*

*Calcetines de recuperación PRO.*

---

5   Este nuevo concepto de contención-compresión denominada "progresiva" fue desarrollado, hace algunos años, por el doctor S. Couzan.

▷ **Acción correctiva**

Esta acción correctiva es interesante durante la fase hiperálgica –en el caso de una lumbalgia aguda, por ejemplo–, pero también en el momento de retomar la actividad profesional. Además de la limitación de movimiento, el objetivo es que el paciente tome conciencia de los gestos o de las posturas que debe evitar. También, la tracción-tensión de la venda adhesiva ejercida sobre la piel y el sistema piloso le advertirá de los riesgos.

Principios y productos utilizados

Realice una contención en posición de función, o en recorrido interno según los casos, limitando correctamente las amplitudes de movimiento que hay que proteger. Utilice:
- **Un poco de espuma protectora**, porque recubrir toda la superficie que hay que tratar impide la exteroceptividad. Si es necesario, coloque únicamente algunas vendas circulares sobre la zona que hay que proteger.
- Unas vendas adhesivas inelásticas *Omnitape®*, unidas a las vendas adhesivas elásticas *Extensa® Plus*.
- La venda adhesiva elástica *Extensa® Plus* también servirá para la realización de los anclajes y para cerrar el montaje.

Período de inmovilización

Este strapping permanece colocado durante el proceso de cicatrización, mientras el dolor persista. Para prolongar la acción correctiva, se irá renovando hasta que se retome la actividad profesional o deportiva.

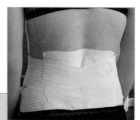

*Strapping que limita la flexión anterior del tronco (inclinarse hacia delante).*

## Objetivos preventivos

Este strapping resulta de gran ayuda cuando se retoma la actividad profesional o deportiva después de una pausa, o cuando la persona en cuestión presenta inestabilidades articulares postraumáticas o crónicas. El strapping permite:
- prevenir las recaídas;
- no agravar una patología incipiente a pesar de realizar esfuerzos;
- obtener una acción correctiva (lumbalgia);
- llevar a cabo o alcanzar un objetivo deportivo importante, en ciertos casos;
- tranquilizar al usuario.

Permanecerá colocado durante algunas horas, días, o el tiempo que dure la actividad física o deportiva.

## ▷ Acción restrictiva y estabilizadora

En este punto, la prioridad es proteger los sectores angulares dolorosos, aunque permitiendo la función.

Utilice este strapping durante el período de regreso a la actividad: tras un esguince, tendinitis y, en ocasiones, lesiones musculares.

### Principios y productos utilizados

Coloque en posición de función la articulación o el segmento de miembro que debe tratarse, para **permitir el movimiento, exceptuando las amplitudes extremas**. Utilice:

- **Un poco de espuma protectora**. No es obligatoria, excepto sobre las zonas en que existe riesgo de lesiones durante el movimiento (como en el caso de las zonas prominentes del cuerpo: los tendones, los relieves óseos...).

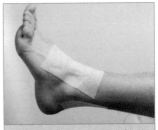

Por el contrario, en caso de peligro, un uso abusivo reduce las posibilidades de exteroceptividad. Usted puede sustituir la espuma protectora por un trozo de venda adhesiva extensible y no tejida, tipo *Omnifix® Elastic*, aplicada sobre los relieves anatómicos que hay que proteger.

*Trozo de venda adhesiva* Omnifix® Elastic *que se aplica para proteger los tendones salientes.*

- La venda adhesiva elástica *Extensa® Plus* sirve para realizar las tiras activas. Se extienden en direcciones concretas, en función de los objetivos buscados, y a menudo se refuerzan con vendas *Omnitape®*. Las bases y el cierre del montaje se realizan con *Extensa® Plus*.

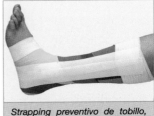

*Strapping preventivo de tobillo, reforzado por la parte externa con tiras activas de* Omnitape®.

### Período de inmovilización

**Esta contención permanecerá colocada mientras dure la actividad profesional o deportiva.** Será utilizada durante el período de recuperación.

▷ **Acciones de ayuda y de suplencia**

Para solicitar al mínimo las estructuras dañadas, este vendaje ayuda y refuerza los tejidos afectados.

Usted podrá realizar esta acción de suplencia principalmente cuando el paciente sienta dolor durante la función y en la actividad diaria, en caso de:

- tendinopatías incipientes o inflamatorias (sobre todo del supraespinoso, del tendón de Aquiles o del epicóndilo);
- después de un problema muscular (tipo desgarro) cuando persista una molestia o exista déficit de fuerza.

▷ *Ayuda a los tendones*
Principios y productos utilizados

*¡Dos indicaciones, dos montajes diferentes!*

Coloque el tendón que hay que inmovilizar en posición corta y ejerza una tensión sobre la venda de manera que produzca una tensión elástica cuando el tendón se estire. Utilice:

- algunos trozos circulares de venda de espuma protectora o un trozo de esparadrapo *Omnifix®*, si hay riego de rozadura;
- realice los anclajes con las vendas adhesivas elásticas *Extensa® Plus*;
- la venda adhesiva *Extensa® Plus* sirve también para confeccionar las tiras activas: estas se extenderán en ciertas direcciones en función de los objetivos establecidos;
- con esta misma venda adhesiva elástica, cierre los montajes.

*Strapping en el caso de una tendinitis del tendón de Aquiles. La tensión elástica de la venda permite preservar el tendón.*

▷ *Asistencia muscular*

Utilice este segundo montaje cuando retome la actividad diaria tras sufrir una lesión muscular de tipo desgarro, distensión, incluso elongación. Se trata de realizar un vendaje elástico circular y en contrapresión (tensión de la venda al 70 %).

El efecto compresivo obtenido por el uso de la venda ejerce una presión activa permanente que solidariza los tejidos musculares, reduce el "bulto", así como la tensión intramuscular.

Con este tipo de contención, no se limita el alargamiento muscular.

**Una venda cohesiva:**
- antes de efectuar la contención, el grupo muscular se sitúa en posición corta o ligeramente encogida;
- luego, coloque una venda cohesiva circular con una tensión constante (70 %), en el sentido distoproximal y en cada vuelta superponga por la mitad las vendas.

**Una muslera o una faja** de *Neopreno*®. Se trata de un culote, y es necesario que sea de la talla del paciente para que no comprima demasiado durante la prueba en reposo. La faja de *Neopreno*® deberá colocarse de forma circular en contrapresión.

▷ **¡Resultados!**

Si la contención se realiza correctamente, es decir, que elimina el dolor y no causa molestia alguna durante la actividad física, el atleta podrá:

▷ *Realizar o terminar una competición a pesar de la lesión, sin que tenga mayores consecuencias.*
En su vida como atleta, un deportista llega a vivir momentos más importantes que otros (final, competición con calificación, carrera en equipo...). En estos casos, he obtenido excelentes resultados recurriendo al strapping. La contención debe limitar un movimiento o un gesto final para proteger la lesión incipiente sin provocar dolor.

**Por ejemplo,** cuando un futbolista padece una lesión meniscal, será necesario pensar en términos de limitación de movimiento para evitar grandes presiones sobre el menisco, es decir:
- impedir la extensión completa de la rodilla;
- impedir la flexión completa de la rodilla.

La decisión de realizar o no este strapping deberá tomarse de común acuerdo entre el *staff* y el competidor; este último deberá ser informado de las posibles consecuencias dolorosas que pueden producirse, el riesgo cero no existe (golpe o contacto con un adversario...).

Una vez realizado el strapping, colocando la zona dañada en acortamiento, el sujeto realiza gestos deportivos; en este preciso instante, es necesario aplicar la regla del no-dolor para no perjudicar la lesión incipiente y, sobre todo, disipar la duda y la aprehensión del competidor.

Realizar un strapping de este tipo exige una gran complicidad entre el terapeuta y el deportista; es probable que el montaje "a medida" no se adapte desde el primer momento y exigirá:

- un reajuste del montaje tras varios intentos, o después del calentamiento, de manera que el sujeto no sienta molestia ni dolor;
- una modificación o un refuerzo de la contención a lo largo de la prueba.

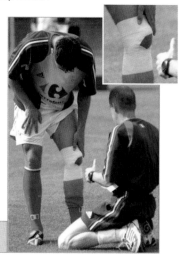

Ajuste del strapping sobre el terreno en función de la sensación del paciente (molestia, dolor, temor).

▷ *Mejorar una lesión a pesar del esfuerzo,* a condición de que el strapping sea realizado desde los primeros síntomas (dolor incipiente en el tendón rotuliano o en el tendón de Aquiles).

En algún caso he tenido que inmovilizar algunas tendinitis en fase incipiente (ya dolorosas e invalidantes) a deportistas de alto nivel sin posibilidad de cesar su actividad y, a consecuencia de ello, constatar que el dolor inicial había experimentado una regresión a pesar de proseguir el esfuerzo.

El reposo total o parcial del tendón doloroso permitió el desarrollo del esfuerzo deportivo favoreciendo así la curación. ¡Realmente podemos hablar de un "efecto mágico"!

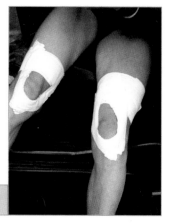

Doble strapping en las rodillas como consecuencia de tendinitis incipiente en los vastos internos.

| Strapping terapéutico *(resumen)* | | | | | |
|---|---|---|---|---|---|
| **Mis objetivos son:** | Obtener una cicatrización óptima | Inmovilizar/ bloquear eficazmente la estructura dañada en posición corta | Poder realizar la inmovilización durante todo el proceso de cicatrización | Favorecer el drenaje y la reabsorción del edema | Combinar la inmovilización con otros cuidados |
| | ⇩ | ⇩ | ⇩ | ⇩ | ⇩ |
| **Así pues:** | Inmovilizo **en posición corta** y respeto el **período de inmovilización** | Utilizo **vendas** adhesivas **no elásticas** | Protejo completamente **con venda de espuma protectora** la zona que hay que inmovilizar | Coloco las **espumas de relleno** en los huecos y **cierro completamente el montaje** | Coloco bajo el strapping: venda oclusiva, venda de gel, venda de taping, electrodos... |

| Strapping preventivo *(resumen)* | | | | | |
|---|---|---|---|---|---|
| **Mis objetivos son:** | Permitir el movimiento en los sectores autorizados. Sin dolor | Provocar un efecto exteroceptivo | Evitar la recaída (limitar el recorrido externo). Ayudar al movimiento (suplencia) | Permitir la función sin riesgo de irritación cutánea | Ofrecer garantías a la persona lesionada en su vida diaria o en sus actividades |
| | ⇩ | ⇩ | ⇩ | ⇩ | ⇩ |
| **Así pues:** | Utilizo las **vendas adhesivas elásticas** +/- reforzadas con vendas rígidas | Utilizo vendas adhesivas elásticas **con un trozo de venda de espuma protectora** | En determinados sitios, imprimo **tensión** sobre la venda elástica | **Protejo las zonas salientes** (tendones, relieves óseos) con compresa + *Akiléine Nok®*, venda de espuma protectora, u *Omnifix®*... | El montaje realizado debe ser **confortable y eliminar cualquier dolor o aprensión** |

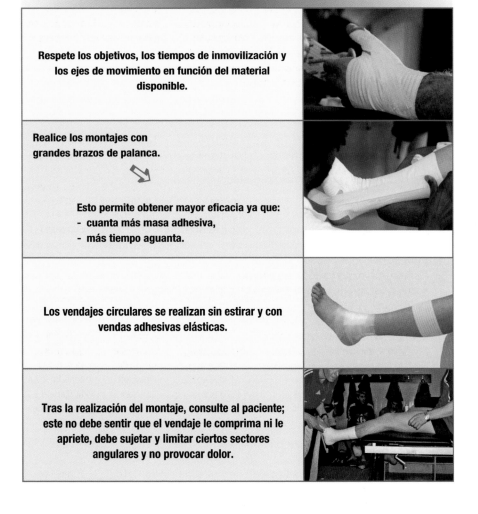

Respete los objetivos, los tiempos de inmovilización y los ejes de movimiento en función del material disponible.

Realice los montajes con grandes brazos de palanca.

Esto permite obtener mayor eficacia ya que:
- cuanta más masa adhesiva,
- más tiempo aguanta.

Los vendajes circulares se realizan sin estirar y con vendas adhesivas elásticas.

Tras la realización del montaje, consulte al paciente; este no debe sentir que el vendaje le comprima ni le apriete, debe sujetar y limitar ciertos sectores angulares y no provocar dolor.

# 7 | Indicaciones y particularidades por patología

*¡Patología mecánica = tratamiento mecánico!*

Como técnica **terapéutica** o **preventiva**, las contenciones flexibles se utilizan mucho en el ámbito de las patologías **articulares**, **musculares** y **tendinosas**, teniendo también en cuenta los **derrames líquidos** que las acompañan. También se utilizan en otros ámbitos tales como **reumatología**, **pequeños traumatismos óseos**, **neurología periférica** o incluso en **pediatría**.

## Patologías articulares

Se trata de todos los esguinces, con afección capsuloligamentaria.

▷ **Dos posibilidades de uso:**
- **Como terapia**, en el momento de la lesión **(sea cual sea su grado)**. El objetivo es estabilizar la articulación, anular los movimientos dolorosos para poner en reposo el sistema ligamentario, lo que reduce el dolor y garantiza una cicatrización en una posición correcta. Este montaje restrictivo se realiza con vendas adhesivas rígidas *Omnitape®* y elásticas *Extensa® Plus*.
- **Como prevención** a la hora de retomar la actividad diaria tras una lesión, o si existe una inestabilidad crónica. El strapping tiene como objetivo la función y, por lo tanto, la actividad deportiva o profesional, aunque limitando los sectores angulares extremos para proteger los elementos todavía frágiles de la articulación. La contención se realiza principalmente con vendas elásticas *Extensa® Plus* y los posibles refuerzos con *Omnitape®*.

▷ **Particularidades:**
- Importancia del brazo de palanca: cuanto más grande, mayor estabilización.
- En cuanto la "atadura" (cf. p. 20) sea posible, utilícela; si no, considere la opción del montaje en forma de "brazalete".

*Strapping en el caso de un esguince del acromioclavicular. La utilización de una venda cohesiva permite utilizar un gran brazo de palanca (atadura alrededor del abdomen).*

# Patologías tendinosas

En cuanto aparece un dolor tendinoso que implica compensaciones, debe imponerse el reposo parcial del tendón.

▷ Tres tipos de utilización:
- **Como terapia durante la fase aguda.** El tendón dañado se inmoviliza en posición corta, principalmente con vendas rígidas *Omnitape®*.

- **Para colaborar con el trabajo del tendón** (que puede parecerse a la ayuda activa...) coloque el tendón en una posición corta y extienda la venda adhesiva *Extensa® Plus*.

- **Para reducir las vibraciones.** En las lesiones tendinosas, como el codo del tenista o la periostitis, la onda de choque vibratoria transmitida por los brazos de palanca esqueléticos irritaría la inserción perióstica de los músculos relacionados. La realización de una contención adhesiva circular con *Extensa® Plus* relativamente ceñida **para pegar las masas musculares** a los huesos parece amortiguar estas vibraciones. En ambos casos, durante la hiperalgia, a menudo esta contención antivibratoria resulta insuficiente y debe combinarse con una contención correctiva, con el objetivo de atenuar el trastorno existente.

▷ Particularidades:
- Limite las amplitudes dolorosas (extremos).
- Utilice la tensión elástica porque es lo que suplirá al tendón.

*Tendinitis del bíceps largo, con tensión elástica en el sentido de la flexión del codo.*

# Patologías musculares

En el caso de las lesiones musculares cabe distinguir varias fases de inmovilización.

▶ **Tres tipos de utilización:**

- **Como tratamiento de urgencia.** Conviene colocar un vendaje circular con efecto "compresivo" para favorecer la coagulación sanguínea, restringir los trastornos tróficos y la aparición de un edema como consecuencia de un traumatismo. Esta contención se realiza con una venda cohesiva *Lastopress*® o, en su defecto, con una venda elástica *Extensa® Plus*.

- **Durante la fase de cicatrización** convendrá identificar correctamente las orientaciones que desea dar a su montaje –ya sea solo **"con contrapresión"** o bien **"restrictivo y con contrapresión"**– para evitar cualquier estiramiento excesivo de las estructuras dañadas.

¿Cómo determinar qué montaje hay que utilizar?
Empiece por realizar el vendaje en contrapresión, y luego consulte con su paciente.
- Si no presenta dolor en la función, utilice solo esta contrapresión.
- Si el dolor sigue presente en la función, combine contrapresión y vendaje "restrictivo".
Usted inmovilizará el músculo dañado en posición corta con la ayuda de una venda poco elástica, de manera que los puntos de inserción se acerquen entre ellos.
Luego, sobre este vendaje, coloque la contrapresión, siempre en el sentido distoproximal con una tensión constante (venda estirada al 70 %).

Estas lesiones a menudo afectan los músculos poliarticulares; conviene, en función de la localización de la lesión, contener la articulación más cercana a la lesión.

Por ejemplo, en el caso de una lesión alta de uno de los gastrocnemios, es preferible colocar la rodilla ligeramente flexionada a colocar la articulación del tobillo en flexión plantar.

*Strapping "restrictivo y compresivo" en el caso de un desgarro del gastrocnemio medial.*

- **Para la recuperación, o a la readaptación funcional,** si es necesario, coloque un vendaje elástico circular en contrapresión (con una venda cohesiva tipo *Lastopress®* o, en su defecto, de *Extensa® Plus*), para solidarizar los grupos musculares entre ellos.

*Vendaje circular que permite solidarizar las masas musculares.*

En ningún caso este tipo de contención limita la extensibilidad muscular.

▷ Particularidades:
- En el momento del desgarro, comprima con una venda cohesiva, durante 5 o 6 minutos, utilizando el cien por cien de la elasticidad de la venda.
- En la contrapresión, coloque un punto de presión complementaria sobre la lesión (ley de Laplace).
- En caso de dolor en la función y el estiramiento, limite la prolongación del grupo muscular.

# Pequeños traumatismos

Se trata de fracturas parcelarias de los huesos pequeños, como los metatarsianos, falanges o incluso costillas… En estos casos concretos, la ortopedia clásica no propone ninguna cirugía apropiada, ni medio de inmovilización adaptable. El objetivo consiste en proponer una inmovilización rígida con *Omnitape®*, estricta, que repercuta poco en la funcionalidad de las articulaciones y los segmentos periféricos. De hecho, confeccionar un yeso o una resina para tratar una fractura del metatarsiano comporta inevitablemente un agarrotamiento del tobillo y una amiotrofia del tríceps sural, que pueden evitarse con una contención flexible adecuada y renovada de forma regular.

▷ **Dos tipos de utilización:**
- **En el caso de fracturas en los metatarsianos,** la contención inmoviliza el dedo del pie y su metatarsiano e impide el estiramiento del pie; de este modo, el sujeto no puede extender la bóveda plantar y camina con el pie plano.

- **En el caso de contusiones torácicas o las fracturas de las costillas,** conviene limitar los movimientos del tórax en rotación, inclinación y flexión-extensión con vendas rígidas *Omnitape®* y elásticas *Extensa® Plus.* Se puede añadir una venda cohesiva circular para reducir la amplificación torácica.

▷ **Particularidades:**
- La inmovilización debe ser estricta y debe impedir cualquier movimiento doloroso.
- ¡Respete imperativamente los períodos de inmovilización!

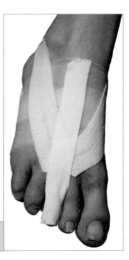

*Strapping para una fractura parcelar de una falange del tercer dedo del pie.*

# En reumatología

Con las contenciones flexibles, tratamos principalmente dos patologías reumatológicas: la lumbalgia aguda y el síndrome femoropatelar (rotuliano).
Frente a estos problemas, en los que las tensiones articulares son las responsables del cuadro doloroso, el objetivo será doble:
- Realizar un montaje que permita reducir las tensiones, así pues, el dolor durante la función.
- Obtener un efecto correctivo, sobre todo en el caso de la lumbalgia. El sujeto debe tomar conciencia de los gestos que no debe realizar y sustituirlos por otros movimientos adaptados[6].

Durante la fase hiperálgica, recurrimos a un montaje mixto con vendas inelásticas tipo *Omnitape*® colocadas en las lumbares para impedir cualquier movimiento doloroso, y después unas vendas elásticas más largas para limitar las rotaciones y obtener una tensión elástica eficaz.

▷ Particularidades:
- El dolor determina el período de inmovilización.
- Para una acción correctiva, este strapping permanece colocado durante el período de vuelta a la actividad.

# Alteraciones liquidianas

Con este término nos referimos a todas las manifestaciones concomitantes de los diversos accidentes anteriormente mencionados que contribuyen a la aparición de hematomas, edemas o hidartrosis.
Muy a menudo, estos trastornos empeoran el cuadro inicial y sería un error descuidarlos ocupándose solo del tratamiento mecánico funcional. Existen muchas posibilidades para luchar contra estos síntomas de acompañamiento (cf. p. 32).

▷ Particularidades:
- Comprobar correctamente la contención y no dejar espacio sin cubrir, si no el edema y/o el hematoma pueden migrar a este lugar.

---

6  Véase el libro *Tener una espalda sana*, capítulo 3, de C. Geoffroy, 2011, publicado en español por Editorial Paidotribo.

# 8 | Contraindicaciones, ventajas e inconvenientes

## Contraindicaciones

Las contenciones flexibles deben evitarse en caso de:
- afecciones dermatológicas (psoriasis, etc.);
- grandes edemas o personas que presenten una obesidad importante (por la movilidad del tejido adiposo, no es posible realizar una estabilización suficiente);
- alergias;
- reacción cutánea como en el caso de las personas mayores, en los que la piel puede volverse más sensible (piel apergaminada).

## Ventajas

Al contrario de las contenciones rígidas (como los termoformados, los yesos o las resinas), las contenciones flexibles y las ortesis permiten la combinación de las curas (crioterapia, drenaje linfático manual, fisioterapia, terapia manual...) durante todo el período de inmovilización.

Se puede, también, colocar adyuvantes específicos bajo la contención flexible o la ortesis para mejorar la recuperación de la lesión. Por ejemplo:
- Vendas oclusivas realizadas con un tópico no alergénico y no alcoholizado, o, mejor, arcilla con unas gotas de aceites esenciales antiinflamatorios (*Gaulthérie fragantissima*), o descongestivos en caso de hematoma (*Hélichryse italienne, familia de las "inmortales"*). Seguidamente, conviene colocar, entre el tópico y las vendas, algunas láminas de celofán tipo *Cellofrais®*.
- Los electrodos autoadhesivos para estimulación electroinducida.

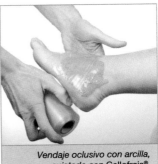

*Vendaje oclusivo con arcilla, sujetado con Cellofrais®.*

Ciertas patologías en las que la medicina tradicional se muestra menos competente obtienen beneficios de las contenciones flexibles:
- las contusiones torácicas o las fracturas de costillas;
- las fracturas de los metatarsianos (en las que la inmovilización propuesta deja libre la articulación tibiotarsiana);
- los esguinces acromioclaviculares;
- los síndromes rotulianos;
- la mayoría de las tendinopatías: talón de Aquiles, tendón rotuliano (ligamento patelar), o incluso epicondilitis...

## Inconvenientes

Además de las contraindicaciones citadas anteriormente, el strapping es un compromiso que se establece entre el sujeto, el médico y el cinesiterapeuta. Frente a un paciente al que le cuesta respetar las consignas médicas o los períodos de cicatrización, es mejor utilizar un modo de inmovilización rígido, como el yeso o los termoformados.

**Tenga especial cuidado con el empleo abusivo de los strappings.** Más que trabajar para reforzar las articulaciones o tendones, algunos atletas abusan del strapping y acaban dependiendo de estas técnicas de inmovilización. No es porque no les sirva que no responda a su demanda, todo lo contrario.

# EL TAPING

1. Principios generales

2. Elementos técnicos
Tipos de montaje
Técnicas de colocación

3. Material
Características. Dimensiones. Teoría de los colores. Sentido
de colocación de las vendas. La tensión

4. Propiedades
Mecánicas. Neurofisiológicas. Psicológicas

5. Objetivos
Acción drenante y acción destonificante. Acción antálgica.
Acción tonificante y acción estabilizadora. Acción correctora.
Combinación de acciones

6. Indicaciones
Musculares. Articulares. Tendinosas. En reumatología.
Tisulares

7. Ventajas e inconvenientes

# 1 Principios generales

En los años setenta, un quiropráctico japonés constató que el efecto de los cuidados que prodigaba a sus pacientes no duraba mucho tiempo, lo que les obligaba a llamarle de nuevo poco después de su tratamiento; por eso, para aumentar el efecto fisiológico, probó con vendas adhesivas aplicadas en diferentes zonas del cuerpo en función de la patología. ¡Kenzo Kase acababa de "inventar" el taping!

El adyuvante externo cutáneo utilizado, el tape, produjo efectos de tipo mecánico, neurofisiológico y psicológico. Para optimizarlos, la colocación de los trozos de venda adhesiva sobre la piel debe contar con parámetros específicos (tensión, orientación, forma...) con un objetivo terapéutico, antálgico, preventivo y reeducativo.

*¡Actuar a tiempo y sanar a través del movimiento!* Mientras que el strapping obtiene resultados inmovilizando, ¡el taping lo consigue con el movimiento! Las actividades de la vida diaria están permitidas, sin restricción alguna; contribuyen incluso a mejorar ciertos problemas (hematomas, contracturas musculares...). El paciente no siente ninguna molestia, llegando incluso a olvidar que lleva las tiras.

La combinación de tape y movimiento ejerce una acción de bombeo que va desde la superficie hasta la capa más profunda de los tejidos. Los nuevos descubrimientos[1] sobre la mecánica de los desplazamientos "intertisulares" –cuya única misión es devolver movilidad activando el conjunto de los tejidos (piel, conjuntivo, músculos, vasos, nervios, vísceras...)– explican los resultados del proceso.

*Deportista en movimiento con un taping en la rodilla.*

---

1  Los del doctor Jean-Claude Guimberteau, cirujano plástico y autor del libro *Promenade sous la peau*, Éditions Elsevier Masson, 2004.

# Elementos técnicos

Antes de entrar en detalle en la técnica del taping y su práctica, conoceremos sus principios de base y su terminología para que comprenda mejor cómo funciona.

## Tipos de montaje

▷ **Drenante**

El objetivo es mejorar o reactivar la circulación venosa o linfática, favorecer la reabsorción de un edema o en el drenaje de un hematoma.

*Siempre que sea posible, es aconsejable proceder a la colocación de un taping tras una intervención quirúrgica. Vendaje drenante después de la reparación de un LCA (en el RI-ST).*

▷ **Destonificante**

Este montaje es específico para combatir una tensión, conseguir una relajación muscular gracias a los movimientos intertisulares que activan la circulación subyacente.

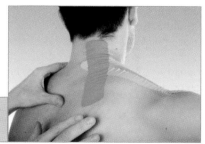

*La región cervicoescapular es foco de tensiones musculares. Montaje centrado sobre el trapecio y el elevador de la escápula.*

En ambos casos, los efectos se obtienen gracias a las arrugas de la venda durante los movimientos: el tape se coloca sobre la piel sin ejercer tensión.

### ⊳ Tonificante, estimulante

El objetivo es ayudar a los tejidos (músculos, articulaciones, tendones) para que sean más "reactivos", estimularlos, reformarlos (reeducación) y aportarles una sujeción solicitando la acción exteroceptiva.

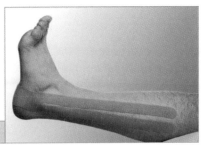

*Montaje que estimula los peroneos.*

### ⊳ Descompresivo, antálgico

La colocación específica de la venda en tensión crea un fenómeno "de aspiración" beneficioso para la descompresión tisular o para la decoaptación articular.

*Montaje muy eficaz que permite descomprimir la patela (rótula).*

### ⊳ Correctivo

Para modificar la tensión de los tejidos o las tensiones en una articulación; en general, las vendas se colocan transversalmente a la zona que debe tratarse para gancharla mejor.

*Montaje en el caso de un síndrome del "limpiaparabrisas"[2] combinando un efecto destonificante (venda amarilla) con un efecto correctivo (vendas negras).*

En estos tres casos, los efectos se obtienen gracias a la tensión que usted ejercerá sobre la venda y el tipo de montaje empleado.

---

2  El síndrome del limpiaparabrisas es una patología tendinosa causada por el rozamiento de la banda iliotibial, como un "limpiaparabrisas", en el cóndilo externo de la rodilla.

# Técnicas de colocación

La forma del vendaje depende de cómo recortemos la venda y del objetivo deseado.

▷ **En forma de abanico**

Si queremos drenar, la mejor opción será realizar un montaje en forma de abanico, porque varias tiras (5 de 1 cm cada una) actúan mejor que un único trozo de venda de 5 centímetros.

Para realizar un abanico de cinco tiras, basta con cortar la venda en sentido longitudinal, cinco veces. La cuadrícula que aparece en el papel de la venda facilita el recorte.

La cuadrícula facilita el corte.

El abanico

▷ **En forma de I, X o Y**

Si queremos trabajar un músculo en particular, respetaremos su forma anatómica. Realizamos un corte en forma de Y para el deltoides, el bíceps o incluso el tríceps sural; un corte en forma de X para los músculos interescapulares; un corte en forma de I para el tendón de Aquiles, la fascia del muslo, etc.

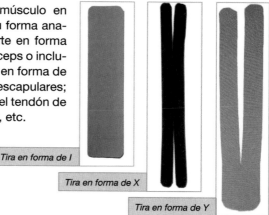

Tira en forma de I

Tira en forma de X

Tira en forma de Y

### ▷ En forma de estrella o malla

Para obtener una acción determinada sobre un punto concreto (cicatriz) o una zona dolorosa (lumbago), colocaremos las tiras de venda ejerciendo tensión sobre la zona que hay que tratar o calmar.

*Montaje para flexibilizar una cicatriz. La tensión únicamente se ejerce sobre la zona que hay que tratar y las tiras se superponen.*

### ▷ Las vendas

Contrariamente al strapping, en el que los anclajes son vendas muy distintas, independientes de las tiras activas, en el taping el anclaje forma parte de cada venda que colocamos. El anclaje es el cuadrado de aproximadamente 5 x 5 cm que pegamos en primer lugar. Siempre se coloca sin tensión.

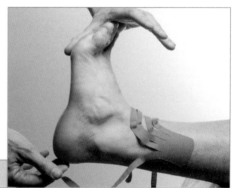

*Anclaje para un montaje drenante del tobillo.*

# 3 | Material

## Características

La venda está formada por fibras de algodón, adhesivas y elásticas (elasticidad unidireccional del 50 % al 60 %) de alta calidad, tejidas con una trama especial que facilita la transpiración.

Su textura es tan fina que, una vez colocada, el paciente se olvida de ella.

La cola es un acrilato hipoalergénico dispuesto en ondas sobre el tejido. Es termosensible; es decir, su mantenimiento aumenta con el calor; por eso, después de cada aplicación, hay que frotar la venda para activar la cola.

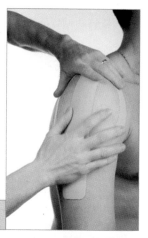

*Después de la colocación de cada tira, frote el montaje para activar la masa adhesiva.*

La venda puede desprenderse de su soporte de dos maneras:
- con la yema del dedo en el extremo de la venda;
- rasgando el papel.

*Para despegar la venda de su soporte, utilice la yema del dedo índice.*

Las vendas se estiran primero sobre su soporte de papel (sobre el 10 %), lo que proporciona una referencia para verificar, después de la colocación, ¡el grado de tensión realmente ejercida!

*¡Un mantenimiento considerable sobre la piel!* Antes de la colocación, la piel debe estar seca y libre de grasa (si no lo está, hay que limpiarla). Una piel ligeramente velluda no ocasiona ningún problema; pero en caso de vellosidad importante, es necesario rasurar la zona.

Las vendas de taping son resistentes al agua y pueden permanecer en la piel hasta una semana, según el cuidado que tenga el paciente. Después de ducharse o bañarse, basta con darles golpecitos con una toalla de rizos manteniendo la piel en tensión, o utilizar un secador de pelo.

El riesgo de desprendimiento reside en los ángulos rectos de cada extremo de la venda; para evitar este inconveniente, e impedir que la venda se enrolle, redondee todos los ángulos con las tijeras.

## Dimensiones

Todos los rollos presentan las mismas características e idénticas medidas: 5 cm de ancho por 5 m de largo.

## Teoría de los colores

Existen varios colores (que varían según las marcas). Yo utilizo el amarillo, el fucsia, el naranja, el verde, el azul, el negro y el color carne.

**Sea cual sea el color utilizado, las propiedades mecánicas de las vendas son las mismas.** De usted depende atribuirles una función concreta. Para ciertas personas, estos colores  forman parte de una estrategia de "marketing", y para otros, revisten una importancia terapéutica. Así pues, el rojo tendría un efecto estimulante y el azul calmante, relajante. El color carne sería neutro.

> En la práctica, utilizo un código de color. Este código corresponde a la acción deseada para el montaje y no a las propiedades de la venda.

## Sentido de colocación de las vendas

Según las diferentes escuelas, hay varias teorías y, en consecuencia, técnicas de colocación:

- Para la escuela alemana, **el sentido en que se coloca la venda es fundamental**, así como la tensión ejercida sobre ella (10 %). Si aplicamos una venda desde el origen del músculo hacía su extremo (sentido proximodistal), obtendríamos un efecto facilitador (tonificante). Por el contrario, si colocamos una venda desde el extremo del músculo hasta su origen (sentido distoproximal), obtendríamos un efecto destonificante o relajante.

- Para otras escuelas (australiana y coreana) –que yo sigo– **el sentido de la colocación no tiene importancia, pero la tensión ejercida o la ausencia de esta resulta fundamental**.

La elección dependerá de sus objetivos:
- Para drenar, activar la circulación, relajar un haz muscular (destonificar), combatir una contractura muscular. Las vendas se colocan sin ningún tipo de tensión sobre los tejidos colocados en posición extendida.

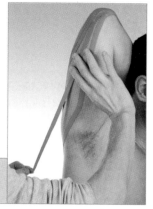

*Drenaje-destonificación del tríceps braquial: estiramiento de los tejidos + colocación de la venda sin tensión.*

- Para tonificar, estimular, favorecer a un grupo muscular, informar de nuevo a una articulación. Son aspectos fundamentales la posición inicial en la que aplicamos las vendas (en posición corta de un músculo) y la tensión (del 20 % al 50 %) ejercida sobre la venda.

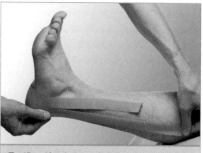

*Tonificación de los músculos peroneos: posición corta de los tejidos + colocación de la venda con tensión.*

## La tensión

Según el tipo de montaje que quiera utilizar, la tabla de la página 66 le brinda información importante sobre la posición de los tejidos, el sentido de la colocación y, sobre todo, la tensión que debe ejercerse sobre la venda.

El primer montaje realizado a una persona siempre será considerado como una prueba, ¡la sensación y las necesidades varían de un individuo a otro! El segundo montaje siempre estará más adaptado, porque le ofrecerá la posibilidad de ajustar las tensiones.

# Propiedades

## Mecánicas

▷ **Nuevos datos anatomofisiológicos de los tejidos**

Antiguamente representadas como capas estratificadas muy distintas (epidermis, dermis e hipodermis) con un funcionamiento bastante confuso, la anatomía y la biomecánica de los tejidos han sido redefinidas, sobre todo por el doctor Guimberteau. Gracias a sus observaciones con endoscopio *in vivo*, con una cámara de gran aumento, ha constatado la existencia de una total continuidad histológica, sin separaciones netas, entre la piel, la hipodermis, los vasos, la aponeurosis y el músculo que facilita su movimiento.

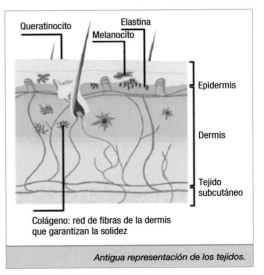

Colágeno: red de fibras de la dermis que garantizan la solidez

*Antigua representación de los tejidos.*

### Explicaciones

A lo largo de sus experimentos, J.C. Guimberteau ha descubierto una auténtica tela tejida, compuesta de filamentos fibrilares (70 % de colágeno, 20 % de elastina y lípidos) que van en todas las direcciones y delimitan, por los cruzamientos de los espacios de forma triangular o hexagonal, las **vacuolas** o **microvacuolas**, según su tamaño (que varía de unas pocas micras a unas decenas de micras).

Estas vacuolas están compuestas de un gel (proteoglicanos) y son muy hidrófilas (atraen el agua), lo que les permite:

- adaptar su volumen (durante la formación de un edema);
- deformarse, incluso dividirse, para resistir las presiones impuestas.

Su estructura de fibras de colágeno resiste la tensión porque son capaces de doblarse o desplegarse bajo la presión mecánica, lo cual garantiza la solidez de la piel.

Este conjunto se denomina sistema MCDAS (o sistema de colágeno multimi-crovacuolar de absorción dinámica). Está por todo el cuerpo y permite un deslizamiento óptimo, sin tirones ni presión, entre las estructuras. Constituye el esqueleto microscópico del cuerpo.

*Nueva representación de los tejidos.*

Los vasos y los nervios viajan a lo largo de las paredes fibrilares de las vacuo-las; de este modo garantizan una continuidad en el marco de los intercam-bios tisulares, conservando la posibilidad de adaptarse a los cambios postu-rales gracias a la movilidad del MCDAS.

## Consecuencias

Durante un estrés del tejido conjuntivo, después de un golpe o un esfuerzo, se observa una contracción de las fascias, una perturbación de la actividad contráctil elástica (Quéré, 2008), así como una modificación del drenaje de líquido y del sistema neurovascular.
Estas perturbaciones provocan:
- Una dilatación brutal de las vacuolas (edema), dificultando mucho el desli-zamiento mecánico.
- Alteraciones intrínsecas de la fibra y del líquido intravacuolar, comportando conexiones responsables de la hipomovilidad. Ésta puede provocar pato-logías a largo plazo. Por ejemplo, una limitación de movilidad de los tejidos del antebrazo puede engendrar una epicondilitis.

*Desde la superficie hasta la profundidad.* Con esta nueva concepción anatomofisiológica de la piel, se comprende fácilmente que las tracciones (manuales o instrumentales) ejercidas sobre la piel repercutirán sobre todas las estructuras del cuerpo, desde las más superficiales (piel, aponeurosis, músculos, ligamentos, etc.) hasta las más profundas (el periostio).

Más técnicamente, la movilización electiva de una región permite:
- efectuar "bombeos" intravacuolares que reducen la hiperpresión interna y las tensiones fibrilares;
- mejorar los flujos vasculares y nerviosos.

Esta nueva teoría sobre la mecánica de los deslizamientos tisulares conduce a una mejor comprensión de los efectos obtenidos con el tape.

## Neurofisiológicas

Es posible solicitar a los receptores exteroceptivos y propioceptivos gracias a las aplicaciones de vendas sobre los tendones, las articulaciones y los músculos. Las estimulaciones son muy suaves (el paciente llega a olvidarse de que lleva un tape): también utilizan el conjunto de las fascias a través de las cadenas tisulares y se inscriben en la duración –así como los resultados, aunque no sean inmediatos.

## Psicológicas

Obtener rápidamente una descompresión que alivie, beneficiarse de una contención: recursos suficientes para recuperar la confianza. Sin dejar de lado el aspecto "divertido" del taping... El terapeuta puede hacer uso de esta valiosa técnica tanto con los más jóvenes como con las personas mayores, con los atletas o los que no practican ningún deporte...

*Los deportistas recurren mucho al taping. ¿Eficacia real o efecto psicológico?*

La manera de colocar el tape varía en función de los objetivos del tratamiento.

▶ **Acción drenante** (circulatoria) **y acción destonificante** (descontracturante)
La estimulación de los tejidos mejorará la microcirculación del sistema sanguíneo y linfático, facilitando el abastecimiento de oxígeno y de nutrientes, la evacuación de sustancias nocivas, así como la relajación.
El tape debe formar arrugas que provocarán rugosidades en la piel: estas inducirán un "bombeo" de las microvacuolas, desde la superficie hasta la profundidad, durante las 24 horas del día. La descompresión de los tejidos subcutáneos facilita la circulación de la linfa hacia los vasos linfáticos colectores.

**Principios:**

**Los tejidos se estiran al máximo y la venda se coloca con 0 % de tensión.**
Para crear arrugas en la venda al principio del plegamiento de la piel, hay que:
- Colocar las estructuras que hay que tratar en estiramiento máximo. Durante la realización del montaje, según la orientación de las hebras, hay que variar a menudo las posiciones de la zona elegida para que siempre esté estirada.
- Empezar unos centímetros antes de la zona que debe tratarse, cubrirla y finalizar unos centímetros después.
- Colocar la venda sin tensión, 0 %.
- Escoger el montaje en forma de abanico para drenar, y en forma de I o de Y para destonificar.

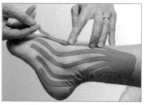

*Para arrugar las partes anteriores del montaje, el pie debe estar en flexión plantar durante la colocación de las tiras anteriores.*

*Para doblar la venda sobre segmentos largos o cuando el dolor no permita el estiramiento de los tejidos, basta con colocar en tensión, con la mano, la piel antes de pegar la tira.*

**Mantenimiento de la venda**
El tape permanecerá colocado hasta que se desprenda o hasta que toque cambiarlo.

▷ **Acción antálgica** (sedante)
Para la descompresión o la decoaptación, el alivio de las presiones ejercidas sobre los tejidos permite atenuar el dolor.

Principios
**Los tejidos se estiran ligeramente y la venda se coloca con una tensión de entre el 20 % y el 50 %.**
Para conseguir esta descompresión, hay que:
- colocar las estructuras que hay que tratar en posición ligeramente estirada;
- colocar el *tape* con una tensión de entre el 20 % y el 50 %, en función de la región que hay que tratar y del sujeto;
- potenciar el montaje en I, en Y o en estrella.

Durante la vuelta interna, gracias a su elasticidad, la venda "trata" los tejidos (efecto ventosa).

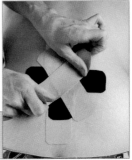

*Asociación de un montaje descontracturante (vendas amarillas) y un montaje descompresivo (vendas negras y color carne) a nivel lumbar.*

Duración del mantenimiento de la venda
Es la eficacia del tape la que manda. Mientras continúe aliviando al paciente, hay que mantenerla colocada.

▷ **Acción tonificante** (reforzar, asistir, sujetar) **y acción estabilizadora** (estimular, reinformar)
La tensión ejercida sobre la venda estimula los tejidos contiguos (cadena). Estas solicitaciones exteroceptivas favorecen y refuerzan la respuesta muscular.

Principios
**Los tejidos son ligeramente estirados y la venda se coloca ejerciendo entre un 20 % y un 50 % de tensión.**
Para obtener el efecto tonificante, hay que:
- Colocar las estructuras que hay que tratar en posición corta (recorrido interno) o semicorta, en función de la región que haya que tratar (los músculos potentes, como el muslo o el bíceps, se colocarán en trayecto medio; los fibulares, se colocarán en trayecto corto o interno).

- Colocar la venda en el sentido del muslo, empezar antes por el origen (donde empieza el músculo), cubrir el músculo y terminar pasado su punto de inserción (donde acaba el músculo).
- Ejercer una tensión de entre el 20 % y el 50 % aproximadamente. Ésta varía en función de su objetivo y del paciente (según sus sensaciones).
- Potenciar el montaje en I o en Y.

*Montaje tonificante sobre el cuádriceps.*

### Duración del mantenimiento de la venda

En función de la tensión ejercida sobre la venda, el taping se mantendrá colocado mientras resulte eficaz. En ciertos casos, demasiada tensión puede provocar que el taping sea difícilmente soportable.

## ▷ Acción correctora

El objetivo es modificar la tensión de los tejidos (epicondilitis, fascia lata, periostitis,...), el trayecto de un haz muscular o las tensiones sobre una articulación (hallux valgus, por ejemplo). En general, las vendas se colocarán transversalmente en relación con la zona que hay que tratar, para ajustarla mejor.

### Principios

**Los tejidos se relajan y la venda se coloca ejerciendo una tensión de entre el 20 % y el 50 %.**
Para obtener este efecto correctivo, hay que:
- determinar bien qué hay que corregir y en qué sentido tratar los tejidos;
- colocar en posición relajada la zona que debe corregirse;
- colocar la venda y, antes de adherirla, tratar los tejidos con la ayuda de la mano;
- optar por el montaje en forma de Y, que permite tratar bien los tejidos.

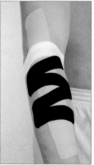

*Montaje para aliviar una epicondilitis.*

### Mantenimiento de la venda:

Es la eficacia del tape lo que le guiará. Mientras siga aliviando, consérvelo.

## ⯈ Combinación de acciones

Bien entendido, usted puede combinar las acciones e incluso las técnicas; es posible combinar el taping y el strapping tanto en un caso de epicondilitis como en un esguince de tobillo.

Para llevar a cabo estas combinaciones, conviene respetar solamente la siguiente cronología de la colocación:
- el montaje destonificante o drenante se coloca antes del montaje correctivo;
- el montaje destonificante se coloca antes del montaje antálgico-descompresivo.

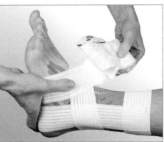

*Combinación de acciones en el caso de un esguince en el D8.*

## Características y objetivos de los diferentes montajes utilizados

| Características<br><br>Objetivos | Posición de las articulaciones o de los tejidos | Sentido de colocación de las vendas + forma de vendas | Tensión de las vendas |
|---|---|---|---|
| Drenante.<br>Destonificante | Estiramiento máximo | En el sentido del músculo, abanico, Y o X | 0 % |
| Tonificante<br>(muscular) | Ligeramente estirado | En el sentido del músculo<br>Y, I | 20 - 50 % |
| Estimulante articular<br>(propioceptivo) | Encogido (recorrido interno) | En el sentido del músculo<br>Y, I | 20 - 50 % |
| Descompresión<br>Antálgico | Ligeramente estirado | En forma de estrella o malla<br>I | 20 - 50 % |
| Correctivo | Encogido/relajado | En sentido transversal<br>Y | 20 - 50 % |

# ⑥ | Indicaciones

Las indicaciones son múltiples y variadas. Pero también diferentes a las del strapping. Sin embargo, a menudo son complementarias y también pueden combinarse en ciertos casos.

El taping se revelará eficaz allí donde el strapping no lo sea, ¡y viceversa!
Está particularmente indicado:
- después de la fase aguda;
- en caso de tensiones tisulares o de dolores que no requieran inmovilización;
- después de un tratamiento porque amplificará los efectos beneficiosos.

Las indicaciones que le ofrecemos a continuación son el resultado de nuestra experiencia práctica y de nuestros resultados. En algunos casos, usted comprobará que para una misma indicación le aconsejamos dos montajes. De hecho, la sensación y los efectos difieren de un individuo a otro; para un mismo problema, algunos se aliviarán con tensión sobre la venda, y otros sin ella.

## Musculares

| | Drenante | Destonificante (descontracturante) | Antálgico (descompresión) | Tonificante (sujeción) |
|---|---|---|---|---|
| Tensión sobre la venda | 0 % | 0 % | 20 - 50 % | 20 - 50 % |
| Contusión | X | | X | |
| Asimetría | | | | X |
| Contractura | | X | | |
| Deficiencia | | | | X |

*Montaje tonificante sobre el deltoides.*

# Articulares (drenaje, estimulación, corrección)

| | Drenante | Antálgico (descompresión) | Estabilizante (exteroceptivo) |
|---|---|---|---|
| Tensión sobre la venda | 0 % | 20 - 50 % | 20 - 50 % |
| Postoperatorio | X | | |
| Secuela de esguince, inestabilidad | | | X |
| Degeneración | | X | |
| Esguince agudo | X | | |

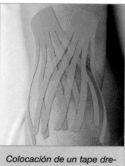

Colocación de un tape drenante en el caso de un hematoma situado en la cara posterior de la rodilla, tras una operación de LCA.

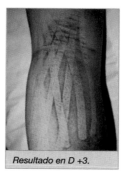

Resultado en D +3.

Resultado en D +7.

# Tendinosas

| | Drenante | Destonificante (descontracturante) | Antálgico (descompresión) | Tonificante (sujeción) | Correctivo (exteroceptivo) |
|---|---|---|---|---|---|
| Tensión sobre la venda | 0 % | 0 % | 20 - 50 % | 20 - 50 % | 30 % |
| Incipiente | X | | | X | |
| Inflamatorio | X | | X | | |
| Síndrome de limpiaparabrisas | | X | | | X |
| Fascitis plantar | | X | X | | |
| Periostitis | | | X | | X |
| Epicondilitis | | X | | | X |

*Montaje descontracturante por fascitis plantar (o aponeurosis).*

# En reumatología

| | Drenante | Destonificante (descontracturante) | Antálgico (descompresión) | Tonificante (sujeción) | Estabilizante (exteroceptivo) |
|---|---|---|---|---|---|
| Tensión sobre la venda | 0 % | 0 % | 20 - 50 % | 20 - 50 % | 20 - 50 % |
| Lumbalgia crónica | | X | X | X | |
| Síndrome rotuliano | | | | | X |
| Síndrome del canal carpiano | X | | X | | |

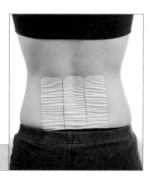

*Montaje descontracturante sobre los lumbares.*

# Tisulares

| | Drenante | Flexibilizador |
|---|---|---|
| Tensión sobre la venda | 0 % | 20 - 50 % |
| Cicatriz | | X |
| Edema | X | |
| Hematoma | X | |
| Linfedema | X | |

*Descompresión y movilización de una cicatriz.*

# 7 | Ventajas e inconvenientes

## Ventajas

La sutileza del montaje es un éxito: ofrece una gran libertad de movimiento sin molestia alguna.

El taping es una técnica muy confortable.

Resistente al agua.

El taping no limita los movimientos.

## Inconvenientes

Después de la realización del primer montaje, no se puede estimar ni cuantificar su eficacia.

En el caso de un montaje en forma de abanico, las hebras se desprenden si no se toman precauciones.

El taping no debe sustituir las curas (las prolonga).

## Contraindicaciones

No existen contraindicaciones reales para el taping.
Sin embargo, el sentido común no nos permite utilizar estas vendas adhesivas en los siguientes casos:
- heridas abiertas;
- cicatrices no cerradas;
- psoriasis;
- alergias a la cola.

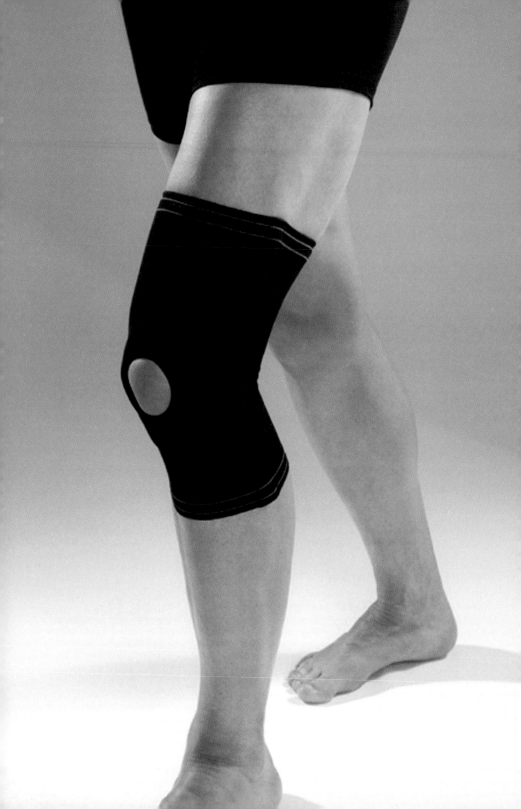

# LAS ORTESIS

1. Principios generales

2. Tipos de ortesis
   De inmovilización. De reabsorción. De recuperación

3. Propiedades
   Mecánicas. Neurofisiológicas. Fisiológicas

4. Objetivos e indicaciones
   Elección y principios de aplicación
   Para tratar: ortesis de inmovilización
   Para prevenir: ortesis de recuperación

5. Ventajas e inconvenientes

# Principios generales

Al igual que las vendas de contención, la colocación de una ortesis responde a exigencias terapéuticas: antálgia, limitación de movimientos, inmovilización y drenaje. Estos dispositivos, básicamente empleados en patología ortopédica –tras un accidente o en el momento de recuperar la actividad–, responden, por lo general, a las propiedades de estabilización articular. Las ortesis cumplen las tres condiciones deseadas: rigidez, semirrigidez y flexibilidad.

Hay dos tipos de ortesis: las que están confeccionadas a medida por un terapeuta –a base de resina o termoformados– y las que se realizan dependiendo de las medidas y referencias estándar, conformes para la mayoría de los casos y disponibles en cualquier farmacia.

La ortesis debe responder al tratamiento de una lesión en un estadio concreto, lo que comporta la necesidad de cambiar de material a lo largo de la fase de recuperación y de curación: se empieza con una ortesis muy estabilizadora y se acaba con un modelo de simple mantenimiento. Generalmente se completan los tratamientos con strapping.

En algunos casos, la inmovilización es elegida en función de unos criterios específicos: la patología y su estado, el perfil del individuo o, en ocasiones, el deporte practicado (el esguince agudo de rodilla del esquiador, por ejemplo).

Las ortesis son ayudas técnicas que permiten aliviar el dolor mientras protegen los tejidos. Dependiendo de su naturaleza y su clasificación, **inmovilizan**, **sujetan**, **estabilizan**, **suplen** y **refuerzan** una estructura anatómica, o incluso **limitan** un movimiento en un sector angular concreto (férula articulada).

> **Las ortesis tratan:**
> - **A nivel terapéutico:** favorecen la cicatrización, poseen una acción antálgica y circulatoria.
> - **A nivel preventivo:** previenen movimientos dolorosos o peligrosos (en el caso de un tejido recientemente cicatrizado) o mantienen en caso de inestabilidad, permitiendo la actividad.

# Tipos de ortesis

Existen tres clases de ortesis indicadas tras sufrir un accidente, para retomar la actividad o readaptarse sobre el terreno.

## Las ortesis de inmovilización

Se fabrican con diversos materiales:
- El plástico y el polietileno: los collarines cervicales, las ortesis estabilizadoras de tobillo tipo *Airform®*.
- La espuma de polietileno de baja densidad con refuerzo termoplástico: collarines cervicales.
- Las espumas de poliéster, compuestas por tejidos de tres capas acolchadas, reforzadas con varillas amovibles o no: férula de rodilla, faja lumbar, ortesis de inmovilización de hombro, de muñeca, de mano o de dedo.
- Las resinas y los termoformados: realizados directamente sobre el individuo; su acción estabilizadora resulta muy eficaz por su inextensibilidad.

Estas ortesis se utilizan sobre todo **después de una lesión o tras una operación**.

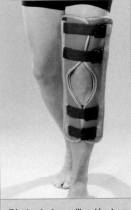

*Férula de inmovilización tras un esguince de rodilla.*

▷ **Resinas y termoformados**
　▷ *Fabricación y colocación*
　　Solamente un profesional de la sanidad (ortopedista, médico, fisioterapeuta...) está habilitado para realizarla.
　　El terapeuta determina el material más adecuado para el grado de inmovilización deseado. Respeta los mismos pasos que en el caso de un strapping terapéutico: empieza por la protección de la piel y de los relieves anatómicos, y coloca el segmento del miembro o de la articulación que hay que inmovilizar en la posición más favorable para la cicatrización. Luego coloca las vendas elegidas, les da forma con la mano y las deja secar (el tiempo de realización varía de un producto a otro).

> *Verificación*

Ante todo, la ortesis debe ser confortable; el paciente se sentirá bloqueado y no comprimido, sin zonas de compresión o de apoyo dolorosas.

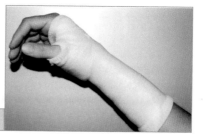

Resina para tratar el esguince de muñeca.

> *Ablación*

La realizará un profesional, con la ayuda de una sierra para yeso.

▷ **Las ortesis fabricadas según las medidas estándar**

> *Tomar medidas*

Es obligatorio hacerlo con exactitud para que la ortesis se adapte perfectamente al paciente.

> *Colocación*

Según la etapa de evolución de la lesión en la que se encuentre el paciente, llevará la ortesis de manera permanente o solo durante la actividad deportiva. Si se trata de una ortesis que hay que colocar, debe cerciorarse de que la piel no esté húmeda (riesgo de maceración, en función de los modelos utilizados).

> *Comprobación*

Implica tres aspectos:
- desaparición del dolor;
- correcta irrigación de la piel bajo la contención (el paciente no se siente ni ceñido ni comprimido);
- imposibilidad total o parcial de los movimientos restringidos, sin provocar dolor.

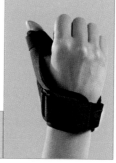

La ortesis de inmovilización muñeca-pulgar (Rhena® rhizo Light) está indicada para patologías de la columna del pulgar (esguinces, tendinitis, artrosis...).

Si el paciente las lleva durante todo el proceso de cicatrización, estas ortesis representan una buena alternativa a las contenciones flexibles adhesivas. En ciertos casos, la férula resulta de gran eficacia y es fácil de colocar comparada con las contenciones flexibles, como en el caso de esguinces de rodilla o de muñeca. Lo mismo sucede con las férulas de la región cervical o del hombro, difíciles de estabilizar con vendas adhesivas.

## Las ortesis de reabsorción

Son compresivas, confeccionadas con punto elástico de contención fuerte (clase III) y normalmente disponen de anillos de silicona, con o sin costuras:
- rellenan los huecos anatómicos, para aumentar localmente la presión favorable a la reabsorción del edema;
- masajean la zona dañada durante la función, lo que favorece el efecto antálgico.

*Rodillera, con anillos de silicona con costuras situadas sobre el perímetro de la rótula, que permite la reabsorción (Rhena® genu+).*

Estas ortesis se utilizan sobre todo en el caso de patologías con afectación de la circulación sanguínea (formación de hematomas, edemas...), como contusiones, desgarros musculares, esguinces, o durante el período inflamatorio de las tendinitis.
Con este tipo de contenciones, las amplitudes de movimiento están poco limitadas.

Las rodilleras con agujero rotuliano (en caso de tendinitis del tendón patelar), las tobilleras de protección maleolar (en caso de esguince) o de protección aquiliana (en caso de tendinitis del tendón de Aquiles) combaten eficazmente los fenómenos liquidianos que acompañan a los traumatismos.

# Las ortesis de recuperación

Intervienen como complemento del strapping o durante su deshabituación.

Por su acción compresiva, solo restringen muy parcialmente las amplitudes articulares.

Durante las actividades diarias, los elementos de silicona realizan un masaje en la zona perjudicada (codera antiepicondilitis). Además, estos elementos presentan una particularidad: tienen unas costuras cuya superficie de contacto respeta los movimientos. Además de las solicitaciones naturales, estimulan los receptores propioceptivos subcutáneos, sobre todo de las articulaciones. La suma de varillas de refuerzo rígidas (rodillera o faja lumbar) o vendas de desrotación (tobillera) ofrecen mayor estabilización durante la recuperación. El trayecto de estas vendas se opone a los movimientos perjudiciales. Se fijan con velcros.

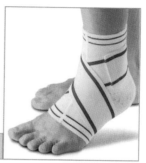

*Tobillera de recuperación (Rhena® malleo Strap+).*

# Propiedades

La eficacia de las ortesis reside en una triple acción: mecánica, neurofisiológica y psicológica.

## Mecánicas

En el caso de una lesión capsuloligamentaria, tendinosa, muscular u osteoarticular, las ortesis garantizan la sujeción y la estabilidad: sitúan en posición de reposo y de función los diferentes tejidos como auténtica medida de protección frente a las recaídas.
La acción mecánica depende de varios factores:
- de los materiales de fabricación;
- de la concepción;
- de la presión ejercida (ley de Laplace).

▷ La importancia de los materiales de composición. Para obtener únicamente una sujeción mecánica, elegiremos:
- ortesis de resina o termoformados;
- ortesis con base de plástico de polietileno (espuma de polietileno de baja densidad con refuerzo de termoplástico);
- o complejos de tejido compuesto de tres capas acolchadas e inextensibles (reforzadas con varillas fijas). Su inelasticidad les confiere un gran poder estabilizador.

▷ Las ortesis concebidas con un brazo de palanca largo y posibilidad de ajuste ejercen un mayor control sobre la movilidad articular.

▷ La presión. Más allá del importante efecto compresivo de las contenciones de tipo III, la suma de elementos de silicona permite reducir el nivel de curvatura y aumentar así la presión en los espacios anatómicamente huecos. La presión puntual creada de esta manera responde a la ley de Laplace (cf. p. 22).

# Neurofisiológicas

Cuando se utiliza una ortesis, se busca en primer lugar un efecto mecánico y estímulos que provoquen presiones o estiramientos en los tejidos. Estas solicitaciones refuerzan el efecto propioceptivo.

▷ La propiocepción
La experiencia clínica de los pacientes tratados con ortesis simples ha provocado que otros autores cuestionen la acción propioceptiva directa. De hecho, la superficie de contacto de la ortesis respeta los movimientos, lo que provoca, además de las solicitaciones naturales, una estimulación de los receptores propioceptivos subcutáneos, particularmente abundantes alrededor de las articulaciones. Otras ortesis disponen de elementos de silicona con costuras que aumentan las sensaciones y refuerzan así el control del movimiento.

**Aplicación**

En paralelo a cualquier inmovilización, el paciente debe seguir regularmente una reeducación para la propiocepción, lo que facilitará, en un futuro, la deshabituación de la ortesis.

# Psicológicas

El factor psicológico es una constante de las ortesis. Las sensaciones de confort y seguridad que procuran a la persona lesionada o al deportista (en un contexto de recuperación o de competición) se suman a los efectos de acción mecánica y antálgica. Tranquilizan al paciente, le devuelven la confianza y calman su dolor en las horas o días posteriores a la lesión.

Pero cuidado, confort no debe significar dependencia. Conviene, como en el caso de las contenciones flexibles, abandonar las ortesis en cuanto se haya cumplido el plazo de cicatrización y se haya alcanzado la recuperación de las cualidades propias de cada tejido (elasticidad, fuerza, propriocepción...).

# 4 | Objetivos e indicaciones

En el caso de las patologías traumáticas, de forma terapéutica o durante la reanudación de una actividad física, se recurre cada vez más a las ortesis. Las realizadas con materiales rígidos tienen un efecto "restrictivo", limitando ciertos movimientos. Las demás, que tienen un efecto "compresivo", ejercen una presión permanente, independiente de la actividad o inactividad. Este tipo de montaje combate de manera eficaz los problemas relacionados con la circulación sanguínea. Comprobaremos que una ortesis puede conjugar ambos efectos.

## Elección y principios de aplicación

▷ **Nociones fundamentales**

Regida por la reflexión y la lógica, la elección de una ortesis debe orientarse hacia aquella cuyas propiedades sean similares a las de las contenciones flexibles, comentadas en el capítulo anterior (brazo de palanca, eje de movimiento, rígida o flexible).

Respetando la evolución del tratamiento, la ortesis se adaptará a cada estadio de la lesión: de la más inmovilizadora a la simple sujeción.

En ciertos casos, la ortesis representa la opción más adecuada para la actividad física practicada y la región que debe inmovilizarse (por ejemplo, la rodilla es una articulación poco encajada y, por ello, difícil de bloquear, los lumbares son músculos muy solicitados por las personas que trabajan realizando esfuerzos...).

A la hora de favorecer la cicatrización, los criterios más importantes que deben tenerse en cuenta son la sujeción, el bloqueo y la duración de una inmovilización. En función de la región afectada, de la actividad del paciente, de su grado de impaciencia, a veces es preferible recurrir directamente a los medios de inmovilización estrictos y severos, tales como las resinas o los termoformados.

# Para tratar: ortesis de inmovilización

Este tipo de ortesis **permanece colocado durante todo el proceso de cicatrización,** en el caso de una patología mecánica, tras sufrir un traumatismo o durante la fase inflamatoria. El objetivo es **bloquear,** inmovilizar y proteger la estructura o estructuras anatómicas dañadas, garantizando así la regresión del dolor y una buena cicatrización.

En el caso de ciertas lesiones, debe colocarse la ortesis desde el momento en que se haya producido el traumatismo (tras las primeras curas).

▷ **Los esguinces** (sea cual sea su estadio)

El objetivo es colocar el sistema ligamentario en posición encogida, combinando una cicatrización en posición correcta con un efecto antálgico y minimizando los posibles fenómenos liquidianos (edema y hematoma).

Usted utilizará ortesis de tipo resina termoformable, como: *Rhena® malléo Airform* para los esguinces de tobillo, *Rhena® genu Universal* para los esguinces de rodilla, *Rhena® manu* para los esguinces de muñeca, *Rhena® escapulo* en el caso de esguinces de hombro (glenohumeral) y *Rhena® cervical* para los esguinces cervicales.

Rhena® scapulo.

Rhena® malléo Airform.

*Collarín para una lesión cervical.*

▷ **Los accidentes musculares**

Para favorecer la cicatrización se emplea una ortesis de efecto "restrictivo", que evita todo estiramiento excesivo de las estructuras dañadas (como una férula de rodilla para tratar un desgarro muscular de los isquiotibiales).

Por ejemplo, puede utilizar las ortesis de tipo *Rhena® genu Universal* en el caso de desgarros musculares que afectan los músculos del muslo.

▷ **Las tendinitis**

La inmovilización consiste en colocar el tendón afectado en posición encogida, lo que contribuye a reducir las presiones.
Estas ortesis están indicadas en caso de inflamación hiperálgica o dolor agudo, como sucede a veces con el hombro.

Las resinas y los termoformados o las ortesis tipo *Rhena® manu* están indicadas para la muñeca, y la *Rhena® scapulo* en caso de tendinitis que afecte los tendones del hombro.

Rhena® manu.

▷ **Período de inmovilización**

Estas **ortesis permanecen colocadas durante el proceso de cicatrización,** pero se retiran durante las sesiones de tratamiento y vuelven a colocarse inmediatamente después.

Para alcanzar un grado óptimo de cicatrización, es obligatorio respetar los períodos de inmovilización que correspondan.
En la primera fase de cicatrización, se utilizarán primero ortesis rígidas y luego otras más flexibles en función del dolor y la evolución de la lesión.
Si combinamos una ortesis con una contención flexible o un strapping, sus efectos se suman.

## Para prevenir: ortesis de rehabilitación

**Colocadas durante unas horas al día, o mientras se realiza alguna actividad deportiva,** las ortesis, como las contenciones flexibles, resultan de gran ayuda en el momento de reanudar la actividad profesional o deportiva, o cuando la estabilidad no es del todo perfecta y aún existe cierta aprehensión, o en caso de inestabilidad crónica. En cualquier caso le devuelve la confianza al paciente.
La ortesis limita un movimiento y aumenta el tono muscular; procura cierto confort y participa en la prevención de las recaídas.
Su uso está indicado en los casos de laxitud ligamentaria, tras un esguince, tendinitis, problemas musculares y lumbares.

## ▷ Los esguinces

Durante el período de recuperación de una lesión, o si persiste cierta inestabilidad, las ortesis garantizan una estabilidad de los movimientos en todas las posiciones. Algunas disponen de refuerzos con varillas, así como bandas de desrotación. Estas contribuyen al mantenimiento de la articulación en el eje correcto. Permiten la función y, así pues, las actividades deportivas y profesionales, limitando los sectores angulares extremos.

Entre las ortesis de este tipo, se hallan, por ejemplo, la rodillera *Rhena® genu Flex+* o la *Rhena® malléo Strap* para el tobillo.

Rhena® genu Flex+.

## ▷ Las tendinitis

Cuando la lesión tendinosa alcanza el segundo o el tercer estadio[1], es conveniente que la región solicitada repose.

Para ello, basta con bloquear la articulación superficial o profunda (por ejemplo, en el caso de una epicondilitis, se inmovilizará la muñeca con una ortesis tipo *Rhena® Epi+*), o en el caso de una tendinitis del tendón de Aquiles, se reducirá el recorrido del tendón con la ortesis *Rhena® Achillo+*.

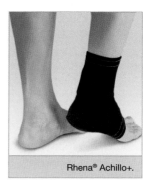

Rhena® Achillo+.

En otros casos, como en el de la epicondilitis, a menudo la inflamación es consecuencia de una hipersolicitación vibratoria. Esta onda de choque vibratoria transmitida por los brazos de palanca esqueléticos irritaría la inserción del periostio de los músculos implicados. El uso de una ortesis antivibraciones **permite pegar el tendón** a los huesos del antebrazo; ésta parece producir una amortiguación de las vibraciones y reducir el riesgo de inflamación.

---

1 Las tendinitis se clasifican por estadios, según Blazina:
Estadio 1: dolor al final de un esfuerzo.
Estadio 2: dolor con el calentamiento, que desaparece con el esfuerzo y reaparece con la fatiga física.
Estadio 3: a) dolor permanente con el esfuerzo, con disminución de la cantidad y de la calidad de la actividad deportiva; b) dolor permanente que impide la actividad deportiva.
Estadio 4: desgarro tendinoso.

## ▷ Los problemas musculares

Aquí, la única solución consiste en solidarizar los grupos musculares entre ellos con manguitos compresivos de punto o de neopreno®. Estas ortesis, básicamente concebidas para los miembros (gemelo, muslo, brazo y antebrazo), aumentan el tono muscular y comportan localmente un aumento de la temperatura.

## ▷ Las lesiones lumbares

Las flexiones repetidas y las rotaciones dañan el raquis lumbar. Ahora bien, ¡difícilmente una ortesis que no esté pegada a la piel impide estos movimientos! Por su acción compresiva, las fajas lumbares sirven sobre todo para sostener la musculatura y la masa visceral.

Las fajas lumbares refuerzan el músculo transverso, cuya función principal es evitar las presiones intraabdominales, y lo suplen en caso de embarazo.

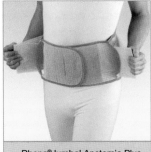

Rhena® lumbal Anatomic Plus.

Rhena® lumbal Grossesse.

## ▷ Período de inmovilización

Esta **contención** se utiliza durante el período de recuperación y **permanece colocada el tiempo que dura la actividad deportiva**.

# 5 | Ventajas e inconvenientes

## Ventajas

- Llevar una ortesis no provoca ningún fenómeno alérgico cutáneo, como las contenciones flexibles adhesivas en algunas personas.
- Es posible la combinación de tratamientos (crioterapia, drenaje linfático, manual...) durante el período de inmovilización (excepto con las resinas y los termoformados).
- Permite respetar los períodos de cicatrización, incluso en el caso de un individuo hiperactivo.
- Garantiza una reanudación de la actividad deportiva con garantías fisiológicas y psicológicas.

## Inconvenientes

- Una ortesis no puede confeccionarse "a medida" como un strapping, excepto con las resinas termoformadas. Sin embargo, actualmente existen diferentes tallas, así como materiales que aúnan solidez, ligereza y funcionalidad.
- Riesgo de dependencia.

## Recomendaciones y contraindicaciones

- Durante la confección de las ortesis de resina o con materiales termoformados, hay que asegurarse de que los bordes de la ortesis que reposan en las zonas de apoyo no sean cortantes, porque podrían provocar heridas. Para prevenir esta contrariedad, conviene acolchar la región que hay que inmovilizar con vendas de algodón.
- En el caso de que haya una herida, no se puede utilizar una ortesis cerrada tipo resina termoformable; únicamente se toleran las ortesis con ventanas y apertura rápida tipo *Velcro*®.

# Tabla recopilatoria

| EVOLUCIÓN Y ELECCIÓN DE LAS CONTENCIONES ELÁSTICAS TRAS PRODUCIRSE UNA LESIÓN | | | | |
|---|---|---|---|---|
| **FASES** | **CICATRIZACIÓN** | **REANUDACIÓN DE LA ACTIVIDAD** | **REENTRENO** | **VIDA DIARIA** |
| Objetivos | Terapéutica. Bloquear, estabilizar, limitar el movimiento dañado. Favorecer la reabsorción | Terapéutica y tranquilizadora. Devolver la libertad de movimiento limitando solo las amplitudes dolorosas | Prevenir la recaída. Limitar las amplitudes extremas mediante la tensión elástica | Deshabituación. Después de la reeducación y la propiocepción deben recuperarse las cualidades musculares |
| Tipos de contención | Strapping rígido + contrapresión. Ortesis de inmovilización y/o reabsorción (p. 73) | Strapping semirrígido. Ortesis de inmovilización y/o rehabilitación (p. 73) | Strapping elástico. Taping tonificante. Ortesis de inmovilización y/o rehabilitación (p. 73) | Taping tonificante. Ortesis de rehabilitación (p. 73) |
| Duración | De 4 a 21 días | De 7 a 10 días | Entre unas horas y 1 día | Entre unas horas y 1 día |
| Productos utilizados | Espuma protectora cubrir la zona que hay que tratar. Extensa® Plus. Omnitape®. Venda cohesiva Lastopress® | Espuma protectora cubrir la zona que hay que tratar. Extensa® Plus. Omnitape® | Omnifix® cubrir la zona que hay que tratar. Extensa® Plus. Omnitape®. Cinta de taping | Cinta de taping |
| Propiedades | | | | |
| Antálgica | +++ | ++ | 0 | 0 |
| Mecánica | +++ | +++ | + | + |
| Propioceptiva | 0 | 0 | + | ++ |
| Exteroceptiva | 0 | + | +++ | + |
| Psicológica | +++ | +++ | +++ | +++ |

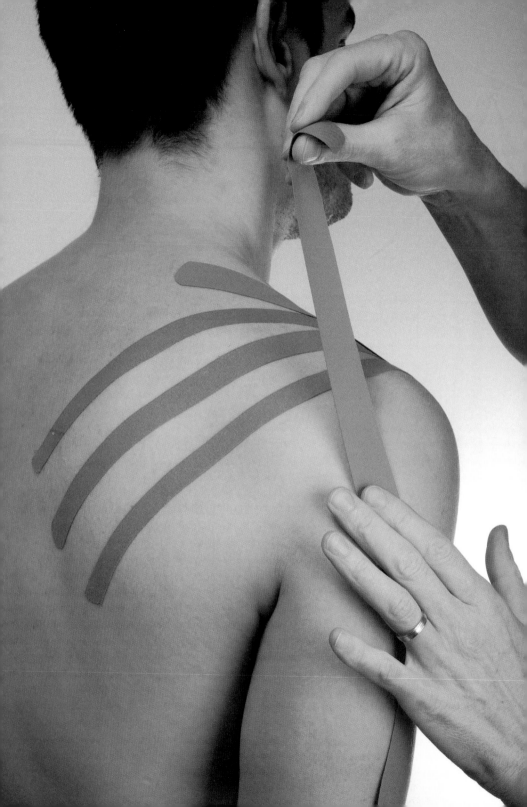

# APLICACIONES PRÁCTICAS

1. El strapping en la práctica

2. El taping en la práctica

3. Las demostraciones
   Miembros inferiores. Tronco. Miembros superiores
   Los casos particulares

*Muchos terapeutas no se deciden o no disponen de los medios adecuados para atreverse a colocar vendas. Sin embargo, usted constatará que la realización del strapping y del taping solo requiere un mínimo de conocimientos, de lógica y de organización.*

# ⅃ El strapping en la práctica

En este capítulo, los strappings son presentados de manera que usted pueda visualizar cómo y dónde se colocan las vendas en función de la patología y de la región que hay que tratar. Pueden realizarse en cualquier parte del cuerpo; de usted depende hacerlo con vendas elásticas o rígidas según la orientación terapéutica que desee proporcionar a sus montajes.

## Los puntos clave

Antes de entrar en materia, quiero compartir con usted algunos trucos que me han servido de ayuda. Con estos conseguirá perfeccionar sus gestos y su habilidad y también responder a (casi) todas las preguntas y exigencias de sus pacientes.

▷ **¿Cómo impedir que la cinta se pegue sobre sí misma al desenrollarla?**
Esto sucede a menudo cuando se utilizan trozos de cinta adhesiva elástica precortada. Antes de desprender completamente la cinta de su soporte, adhiérala a una prenda y sepárela de su soporte lentamente.

*Técnica para evitar que la venda se pegue sobre sí misma durante el desprendimiento.*

### ▷ ¿Cómo romper la elasticidad de la venda?

El tejido extensible de la venda *Extensa® Plus* ofrece la posibilidad de adoptar las características de inextensibilidad de la venda *Omnitape®*. Frote varias veces seguidas la venda por el lado tejido contra una superficie dura, manteniéndola fuertemente estirada; esta manipulación altera considerablemente su propiedad elástica.

### ▷ ¿Cómo desenrollar fácilmente la espuma protectora?

Si tiene que aplicar una venda de espuma protectora alrededor de una articulación o de un miembro, coloque el rollo sobre la parte superior, y no al revés. Le resultará más sencillo tensar la espuma y así evitará las arrugas.

### ▷ ¿Cómo rellenar los espacios retromaleolares?

Según la ley de Laplace, si se coloca una venda circular alrededor del tobillo, la presión aumenta sobre los relieves anatómicos (maléolos y tendones) y se reduce en los espacios retromaleolares. Para evitar edemas o hematomas, coloque espumas protectoras de relleno en los huecos anatómicos para aumentar la presión local (cf. p. 22).

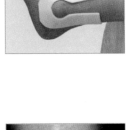

### ▷ ¿Cómo prevenir la irritación cutánea?

Los strappings preventivos pueden llegar a producir reacciones cutáneas si se produce un movimiento y los tendones salientes no están protegidos (Aquiles, tibial anterior, isquiotibiales). Existen dos soluciones para proteger la piel de las irritaciones, ampollas y demás rozaduras:

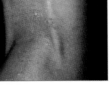

*Irritación del tendón del bíceps femoral.*

- Si el strapping debe permanecer colocado durante mucho tiempo, aplique sobre la piel pomada antirrozaduras tipo *Nok Akiléïne®* y cúbrala con una compresa sujeta con trozos circulares de venda de espuma protectora.

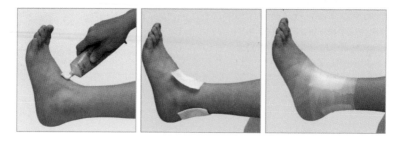

- Si el strapping solo debe permanecer colocado unas horas, coloque trozos de *Omnifix® Elastic*.

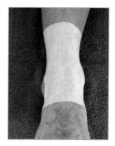

▷ **¿Cómo obtener un montaje eficaz sea cual sea el tipo de venda utilizado?**
Las estrategias de colocación serán diferentes en función de los productos de que disponga y de sus objetivos.

| Venda disponible | Posición de la articulación o trayectoria | Brazo de palanca | Tensión de la venda |
|---|---|---|---|
| Sólo elástica | Recorrido interno | Importante | ++ |
| Sólo rígida | Recorrido medio o posición de función | De medio a débil | 0 |

▷ **¿Cómo adaptar las vendas inelásticas a la anatomía?**

En función de las zonas que hay que tratar, la aplicación de estas vendas no siempre es fácil, porque no se ajustan a los relieves impuestos; con los cambios de orientación, a menudo se forman arrugas.

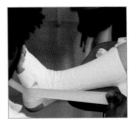

Para facilitar su colocación, le aconsejo que **primero coloque la parte central de la venda en el lugar donde usted quiera que resulte eficaz**; los extremos distales y proximales se adaptarán enseguida a la anatomía. Obtendrá la oblicuidad correcta desde el primer intento y sin arrugas.

▷ **¿Qué hacer para conservar mejor las tiras activas?**

Coloque un brazalete con el extremo o los extremos de la tira; córtela en sentido longitudinal, y luego pegue, sin tensión, los dos trozos de venda sobre el anclaje.

*Strapping de rodilla. Si se trata de una lesión de ligamento colateral medial, el sistema de cierre en forma de brazalete proporciona un mejor mantenimiento de la venda.*

**El cierre de un strapping define su eficacia y su conservación.**
La elección entre los diferentes modos de cierre radica en la función del strapping utilizado y de la zona anatómica afectada:

- **El cierre del strapping terapéutico** debe garantizar el drenaje y la conservación de las tiras activas. Realice vendajes circulares sin tensión con una venda adhesiva inelástica que usted pasará por cada lado del miembro y que colocará en sentido distoproximal[1].

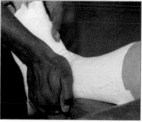

- **El cierre del strapping preventivo** debe impedir el desprendimiento de las tiras activas. Realice un vendaje en forma de espiral sin tensión con una venda adhesiva elástica, colocada siempre en sentido distoproximal.

- **Para cerrar correctamente un strapping en caso de relieve anatómico complicado** (por ejemplo, la rótula o el pulgar), corte la venda *Extensa® Plus* por el medio, a lo largo, para rodear fácilmente y de manera eficaz la parte saliente.

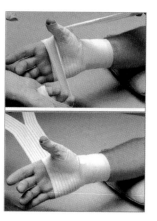

---

1  De la extremidad de un miembro hacia su origen.

▷ **¿Cómo aliviar una zona comprimida?**

Si hay una zona comprimida (montaje demasiado ceñido), conviene realizar cortes en determinados lugares del strapping para descomprimir la zona. Para impedir la posible formación de una arruga, cubra la parte cortada con un trocito de *Omnitape*®.

▷ **¿Cómo reforzar una contención distendida?**

Cuando la eficacia de la contención tiende a reducirse, antes de rehacer el montaje entero, añada unos trocitos de cinta rígida para reforzarlo.

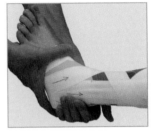

▷ **¿Cómo evitar el desprendimiento de la extremidad de la venda, bajo ciertas condiciones (medio húmedo, deporte con contacto en el suelo...)?**

De un modo simple y eficaz: ¡con un nudo! Corte el extremo de la venda por la mitad (longitudinalmente), y luego, sin apretar, haga un nudo teniendo en cuenta no colocarlo en una zona en la que pueda haber contacto.

> **¿Cómo preparar las vendas cuando hay que actuar rápidamente sobre el terreno?**

En ciertas disciplinas, ¡el tiempo para realizar una cura está contado! Prepare la venda con antelación, despegándola del soporte de plástico y enrollándola sobre sí misma.

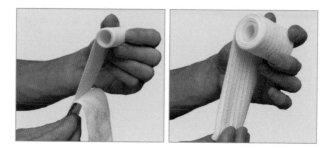

> **¿Cómo retirar una contención elástica?**

Utilice unas tijeras adaptadas, con topes de plástico. Para el confort de su paciente, vigile que el corte no pase sobre relieves óseos o tendinosos. Aplicar vaselina en los extremos de la tijera favorecerá el deslizamiento entre la piel y el vendaje.

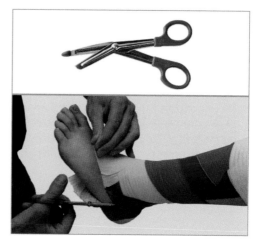

▶ **¿Cómo proteger el strapping durante una ducha?**

Es la eterna pregunta que se les plantea a los cinesiterapeutas. La solución más eficaz es rodear la contención con papel de plástico extensible *NJK*® (o de papel de plástico alimentario) y, a continuación, colocar una cinta circular *Extensa*® *Plus* en los dos extremos de la protección: ¡impermeabilidad garantizada!

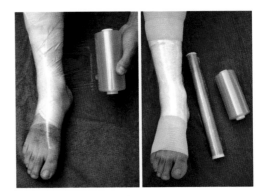

▶ **¿Cómo eliminar los restos de masa adhesiva?**

Algunas pieles retienen más que otras la materia adhesiva. Para eliminarla, utilice un disolvente, o aplique un trozo de venda rígida *Omnitape*® ejerciendo mucha presión: al retirarla eliminará los residuos adhesivos.

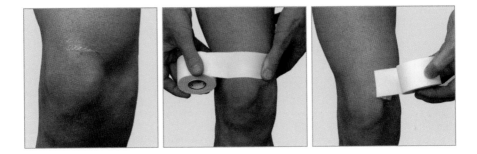

# Procedimiento

① Preparación de la piel

Antes de colocar una contención preventiva, es obligatorio depilar la zona si hay mucho vello. Si se trata de un strapping terapéutico, no será necesario.

② Protección de la piel y/o de los relieves salientes

a) **En el caso de una contención terapéutica** que debe permanecer colocada entre 2 y 4 días, proteja la piel de toda la zona afectada con algunos trozos circulares de espuma protectora.

b) **En el caso de una contención preventiva** que debe permanecer colocada unas horas, aplique medio centímetro de pomada grasa sobre los relieves anatómicos y cubra la zona con una compresa que se sujetará con trozos circulares de espuma protectora.

③ Anclajes circulares

Estas vendas sirven de punto de anclaje para las diferentes tiras activas; sólo se realizan con vendas elásticas *Extensa® Plus* sin tensión.

④ Colocación del segmento del miembro o de la articulación que debe inmovilizarse

- En posición encogida, si se trata de una contención terapéutica.
- En posición de función, si se trata de una contención preventiva.

⑤ Colocación de las tiras activas

a) Determine la longitud necesaria; si utiliza vendas elásticas, debe tener en cuenta la tensión que ejercerá.

b) Tense la venda; la tensión varía en función de los movimientos que deben limitarse.

⑥ Cierre de la contención

¡La fase obligatoria que no debe saltarse! Los vendajes circulares o en forma de espiral se realizan sin tensión, con vendas *Extensa® Plus* u *Omnitape®*, dependiendo de los casos.

⑦ Comprobación de la calidad del montaje

La contención adhesiva está correctamente realizada si:

- el paciente no siente dolor (debe notar que está sujeto, no apretado ni comprimido);
- la piel está bien irrigada por debajo de la contención;
- los movimientos que deben estar limitados ya no son factibles.

⑧ Reforzar el montaje

Después de comprobar el strapping, siempre es posible reforzarlo aplicando unos trozos de venda rígida.

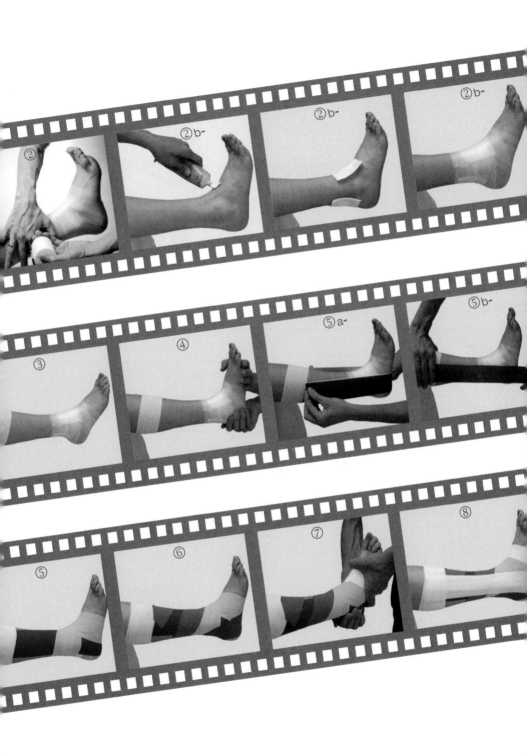

## Los puntos clave

▷ Para recortar los trozos de venda

¡Hágase con unas tijeras adaptadas para cortar trozos largos de venda!

▷ Para una colocación eficaz

En función de sus objetivos, tenga en cuenta los parámetros indicados en la tabla.

| | Tensión | Posición de los tejidos | Forma de las vendas |
|---|---|---|---|
| **Drenaje** | 0 % | Estirados | Abanico, Y |
| **Corrección** | 20 % a 50 % | Encogidos | Y, I |
| **Descompresión** | 20 % a 50 % | Ligeramente estirados | I |
| **Tonificación** | 20 % a 50 % | +/- Encogidos | Y, I |

▷ Para mejorar la adherencia
- Cuando aplique la venda, caliéntela frotándola con la palma de la mano.
- Evite recolocarla durante el montaje (¡sólo tiene una oportunidad!).
- Evite tocar demasiado la superficie adherente con los dedos.

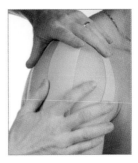

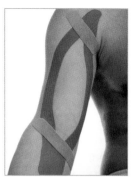

## ⊳ ¿Cómo evitar que se desprendan las vendas?

- El riesgo de desprendimiento está en los ángulos rectos de cada borde de la venda; para impedirlo, redondee los bordes con las tijeras.
- Cuando las vendas se coloquen para tonificar músculos potentes (cuádriceps, bíceps...), añada un trozo de venda como apoyo.

## ⊳ Taping y ducha

A diferencia del strapping, las vendas de taping son resistentes al agua. Las únicas precauciones que debe tomar el paciente tienen que ver con el secado. Después de cada ducha o baño, bastará con dar golpecitos a las vendas con una toalla de rizo, manteniendo la piel en tensión, o utilizar un secador de pelo.

## ⊳ Retirada del taping

El taping puede retirarse sin causar dolor; después de mojarlo, estire la piel y retírelo en el sentido del vello.

# Procedimiento

① **Preparación de las vendas**
Recorte las vendas en la forma deseada (I, X, Y, abanico) en función de sus objetivos. Redondee los extremos de las esquinas para evitar que se desprendan.

② **Preparación de la piel**
La piel debe estar seca y sin grasa (si no, hay que limpiarla). Una piel ligeramente velluda no presenta ningún problema, pero en caso de pilosidad abundante hay que afeitar la zona.

③ **Coloque los segmentos del miembro o de la articulación en la posición deseada**
- **Montaje drenante, relajante.** Coloque en posición de estiramiento máximo los tejidos y aplique la venda sin tensión, variando de posición para obtener los pliegues o arrugas de las vendas.
- **Montaje tonificante, estabilizante.** Coloque en posición encogida y aplique la venda con una tensión del 20 % al 50 %.

④ **Anclaje**
Llamamos anclaje al extremo cuadrado del tape que colocamos en primer lugar (sin tensión), 5 cm antes de la zona que hay que tratar.

⑤ **Colocación de la cinta**
Dependiendo de los casos, se ejercerá tensión o no. El montaje debe finalizar 5 cm después de la zona que hay que tratar.

⑥ **Adhesión de la cinta**
La cinta necesita calor para adherirse correctamente a la piel. Una vez terminado el montaje, frote ligeramente las cintas varias veces.

⑦ **Verificación de la disposición del montaje**

# Los montajes mixtos

En función de sus objetivos, es posible combinar varias acciones. Si lo hace, debe respetar cierta cronología:

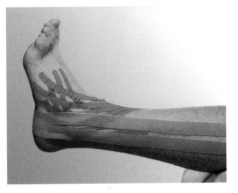

- primero vendaje drenante, y luego vendaje tonificante;
- primero vendaje destonificante o relajante, y luego vendaje antálgico o descompresivo;
- primero vendaje destonificante, y luego vendaje correctivo.

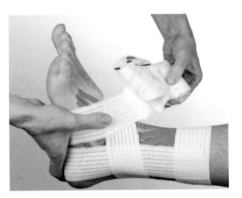

En ciertas ocasiones podrá combinar taping y strapping.

| # Las demostraciones

## Código de color del strapping

Para visualizar mejor la función de cada venda, les hemos atribuido un código de color.

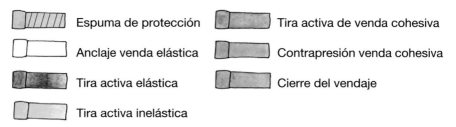

Espuma de protección

Tira activa de venda cohesiva

Anclaje venda elástica

Contrapresión venda cohesiva

Tira activa elástica

Cierre del vendaje

Tira activa inelástica

## Código de color del taping

Para visualizar mejor la función de cada venda, les hemos atribuido un código de color.

Vendaje drenante

Vendaje destonificante

Vendaje tonificante

Vendaje descompresivo-correctivo

A continuación, en las páginas siguientes, encontrará todos los vendajes que aconsejo en función de las indicaciones tratadas.

## El halux valgus: strapping antálgico

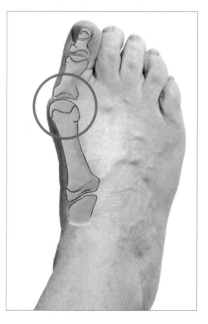

▷ **Mecanismo**

El halux valgus es una deformación de la columna del dedo gordo del pie. Consiste en el cierre del ángulo entre el metatarsiano y la primera falange del dedo gordo del pie con un *metatarsus abductus* y un *adductus* del dedo gordo del pie que gira en pronación.

▷ **Su objetivo: aliviar**

Mantener el dedo gordo del pie alineado, es decir, en abducción y supinación para aliviar y evitar la agravación de la deformación.

▷ **Posición del sujeto**

En decúbito dorsal.

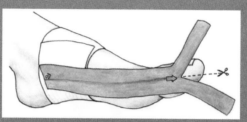

Anclaje venda elástica

Tira activa elástica

## Limitar la aducción

Después de haber ejercido tensión sobre la cinta manteniendo el dedo gordo del pie en abducción, fije la cinta en forma de brazalete sobre el extremo de la segunda falange del pulgar. Esta cinta debe pasar por debajo de la articulación y terminar sobre el anclaje.

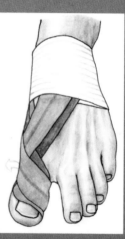

### Limitar la aducción y la supinación

Siempre manteniendo el dedo gordo del pie en abducción y supinación, coloque una primera cinta *Extensa® Plus* de 3 cm en forma de ocho, que dispone la columna del dedo gordo del pie en el sentido de la supinación.

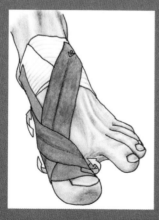

Si es necesario, coloque una segunda tira *Extensa® Plus* de 3 cm en forma de ocho, cortada por la mitad con relación a la primera. Para aportar rigidez al montaje, esta cinta puede ser *Omnitape®* de 2 cm. Cierre el anclaje.

# Taping corrector **del hallux valgus** y descompresión **del extensor del dedo gordo del pie**

Menos correctivo que el strapping, este montaje se utiliza cuando se inicia el proceso de deformación, cuando todavía no es dolorosa.

▷ **Su objetivo**
Corregir la deformación y aliviar al extensor del dedo gordo del pie.

▷ **Postura del sujeto**
En decúbito dorsal.

▷ **Forma**
En forma de I para las dos tiras, con un agujero para poder pasar el dedo gordo.

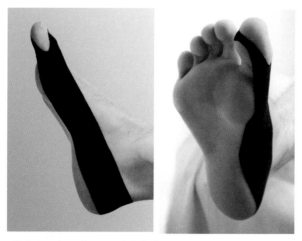

**Coloque la columna del dedo gordo del pie en abducción**
Después de haber pasado la primera falange del dedo del pie por el agujero, pegue la tira, luego coloque la columna del pulgar en abducción. Ejerza una tensión del 50 % sobre la tira.

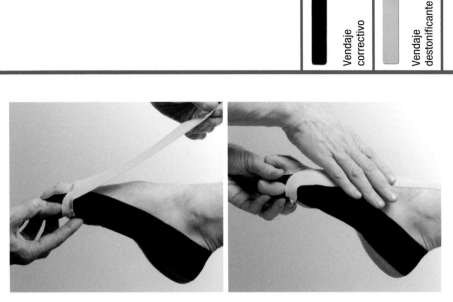

**Relajar el extensor del dedo gordo del pie**

El conjunto del pie se coloca en flexión plantar. Mantenga la columna del pulgar en flexión con su pulgar y el dedo índice. Coloque sin tensión (0 %) la tira sobre el extensor del dedo gordo del pie.

**Resultado**

La destonificación se obtiene gracias a las arrugas de la cinta durante los movimientos del extensor del dedo gordo del pie.

**Protección mecánica**

Para evitar cualquier presión en la articulación metacarpofalángica, coloque encima de esta una espuma de protección adhesiva de 5 mm en la que usted habrá hecho un agujero.

# Fractura de una falange de un dedo del pie: strapping terapéutico

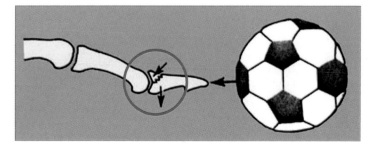

▷ **Mecanismo**

Este tipo de fracturas son consecuencia de algún golpe directo, ya sea durante un choque frontal o por la caída de un objeto pesado sobre el pie. Este tipo de lesiones son frecuentes y no son graves.

▷ **Su objetivo: inmovilizar**

Mantener el radio de la falange fracturada en posición alineada y aportar rigidez a la bóveda plantar para evitar toda tensión muscular, que repercutiría sobre el dedo del pie lesionado.

▷ **Postura del sujeto**

En decúbito dorsal (estirado sobre la espalda).

**Aportar rigidez a la columna del tercer dedo del pie fracturado (parte dorsal)**
Después de colocar la espuma protectora y el anclaje con *Extensa® Plus* de 3 cm, coloque una venda *Omnitape®* de 2 cm sobre el dedo del pie lesionado. Esta se prolonga hasta el anclaje, de forma que aporta rigidez a la columna del dedo del pie.

**Aportar rigidez a la bóveda y a la columna del tercer dedo del pie fracturado (parte plantar)**
Coloque longitudinalmente tiras de *Omnitape®* de 4 cm sobre toda la bóveda plantar y superpóngalas parcialmente por la mitad. Coloque una cinta rígida *Omnitape®* de 2 cm sobre el dedo del pie afectado y que se extienda sobre la bóveda plantar.

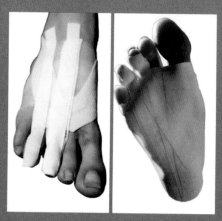

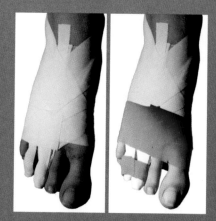

**Si presenta dolor, misma operación sobre el dedo de al lado (4.º)**
Coloque una cinta rígida *Omnitape®* de 2 cm en las caras dorsal y plantar del dedo de al lado del dolorido.

**Cierre del vendaje**
Utilice dos tiras circulares sin tensión de *Omnitape®* de 4 cm superpuestas parcialmente por la mitad a lo largo del pie. Ambos dedos se mantienen en sindactilia.[2]

---

2 Unión de dos dedos del pie. Un vendaje en sindactilia permite inmovilizar juntos dos dedos del pie.

# Taping corrector **en caso de pie plano**

El hundimiento del arco plantar puede ocasionar diversos problemas como la periostitis o el síndrome del limpiaparabrisas (fascia lata). Este vendaje también está indicado para tratar estas patologías.

▷ **Su objetivo**
Corregir y estimular la bóveda plantar.

▷ **Postura del sujeto**
En decúbito dorsal.

▷ **Forma**
En forma de Y, con un anclaje que abarque todo el pie (de la parte externa del pie a la parte interna de la articulación talocrural).

**Corrección de la bóveda plantar**
El pie se coloca en ligera eversión. Empiece por la cabeza del quinto metatarso sin tensión. Luego ejerza una tensión del 50 % hasta el cuello del astrágalo, donde se sitúa la abertura de la Y. Las dos ramas de la Y ascienden por la parte anteroexterna de la pierna y se tensan al 50 %.

**Resultado**
La tensión ejercida sobre la venda impide el hundimiento del arco plantar y estimula los músculos intrínsecos de la bóveda plantar.

# Taping destonificante **de la fascia plantar (aponeurosis plantar)**

Este vendaje se utiliza en caso de presiones sobre la fascia plantar (aponeurosis plantar incipiente, pero que incapacita para la función) o de calambres nocturnos en la bóveda plantar.

▷ **Su objetivo**
Relajación de la fascia plantar.

▷ **Postura del sujeto**
En decúbito ventral.

▷ **Forma**
En forma de abanico a lo largo del pie.

**El conjunto del pie
se coloca en extensión**
El anclaje se coloca sin tensión en el calcáneo.

**En forma de abanico**
El dedo corazón de la mano derecha mantiene cada dedo del pie en extensión, por turnos, mientras que el dedo índice de la mano izquierda golpea la venda (tensión 0 %) para que se adhiera.

**Resultado**
La destonificación se obtiene gracias a las arrugas que se forman en la venda durante los movimientos del pie.

# Aponeurosis plantar (fascitis plantar): strapping terapéutico

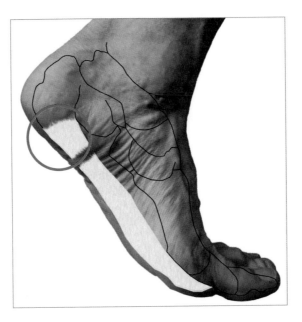

▷ **Mecanismo**

Es una afección dolorosa del pie; podemos definirla como una inflamación de la fascia plantar, la envoltura fibrosa de los tendones que forma el arco del pie.

▷ **Su objetivo: relajar la fascia plantar**

Aportar rigidez a la bóveda plantar para impedir el estiramiento de la aponeurosis.

▷ **Postura del sujeto**

En decúbito dorsal.

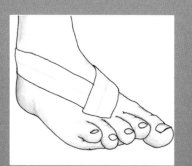

Anclaje venda elástica

Tira activa inelástica

Cierre del vendaje

**Limitar la extensión del pie o el estiramiento de la aponeurosis plantar**
Coloque una primera tira de *Omnitape®* de 4 cm sobre la bóveda plantar, a lo largo del borde interno del pie, luego superponga las tiras en la mitad de la anterior hacia la parte exterior del pie. Cubra bien toda la zona plantar.

Colocación del anclaje

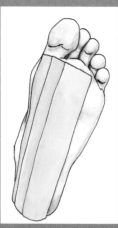

**Cierre del vendaje**
Utilice vendajes circulares sin tensión de *Omnitape®* de 4 cm, superponga las tiras en la mitad de la anterior a lo largo del pie. Ojo con comprimir el pie.

# Fractura del metatarsiano: strapping terapéutico

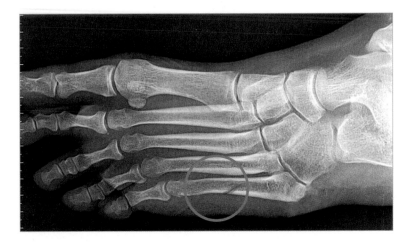

▷ **Mecanismo**

Estas fracturas tienen lugar tras producirse un traumatismo directo (golpe) o indirecto (combinando torsión y flexión dorsal o plantar), o como consecuencia de presiones exageradas (denominada fractura por "fatiga").[3]

Puede haber varias localizaciones anatómicas, una lesión de la diáfisis, del cuello o de la base del metatarsiano.

Las más frecuentes afectan el quinto metatarsiano, en ocasiones con una extracción de la apófisis estiloide.

▷ **Su objetivo: anular las presiones sobre el metatarsiano**

Para ello, conviene evitar la extensión del pie y, sobre todo, estabilizar el metatarsiano fracturado, por eso hay que aportar rigidez a la bóveda plantar y más particularmente al radio del metatarsiano afectado.

▷ **Postura del sujeto**

En decúbito dorsal.

---

3 ¡No es una fractura ordinaria! Se trata de una fisura del hueso (sin desplazamiento) que sobreviene tras una sucesión de microtraumatismos, en un tiempo dado, en un período en el que el organismo sufre modificaciones bioquímicas (y no obligatoriamente con relación a la fatiga).

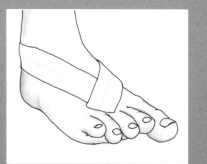

Colocación del anclaje
*Extensa® Plus* de 3 cm.

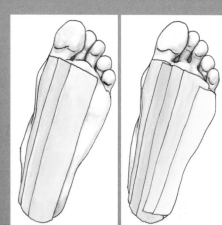

**Aportar rigidez a la bóveda plantar y la columna del metatarsiano afectado**
Coloque longitudinalmente unas cintas *Omnitape®* de 4 cm sobre toda la bóveda plantar y superponga unas a otras.

**Impedir cualquier cizallamiento sobre el metatarsiano**
Coloque entre dos y cuatro tiras de *Omnitape®* de 4 cm en diagonal, que pasarán sobre el metatarsiano dolorido, sobre la cara dorsal del pie y sobre la cara plantar.

**Cierre del vendaje**
Utilice vendajes circulares sin tensión de *Omnitape®* de 4 cm superpuestas a lo largo del pie. ¡Sobre todo, no hay que comprimir el pie!

# Esguince del metatarsiano: strapping terapéutico

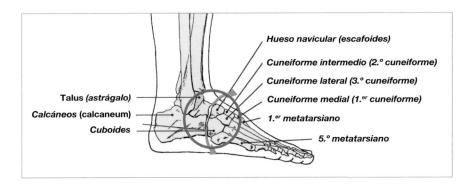

Hueso navicular (escafoides)

Cuneiforme intermedio (2.° cuneiforme)

Cuneiforme lateral (3.° cuneiforme)

Talus *(astrágalo)*

Calcáneos (calcaneum)

Cuneiforme medial (1.<sup>er</sup> cuneiforme)

Cuboides

1.<sup>er</sup> metatarsiano

5.° metatarsiano

▷ Mecanismo

Esta torsión puede afectar dos niveles:

- **La articulación transversa del tarso** (Chopart), que comunica los huesos del tarso posterior, es decir, el calcáneo y el *talus* con el cuboides y el hueso navicular, respectivamente.
- **La articulación tarsometatarsiana** (Lisfranc), que une el tarso anterior (los tres cuneiformes y el cuboides) con los metatarsianos.

La interlínea articular de Lisfranc permite los movimientos de inversión y eversión.

El edema es característico y se localiza sobre la parte superior del pie.

▷ Su objetivo: anular las presiones en torsión del pie

Aportar rigidez a la bóveda plantar para limitar la extensión del pie e impedir, en función de la lesión, el movimiento de pronación o el movimiento de supinación del pie.

▷ Postura del sujeto

En decúbito dorsal.

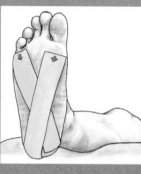

Anclaje venda elástica

Tira activa inelástica

Tira activa elástica

Cierre del vendaje

**Limitar la extensión del pie**
Coloque en diagonal dos trozos de *Omnitape®* de 4 cm a lo largo de la bóveda plantar. Estas dos tiras se cruzan sobre la lesión. Repita la operación dos veces, superponiendo en cada pasada las vendas.

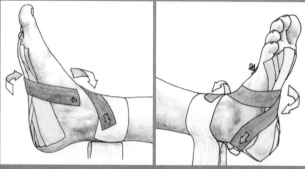

**Impedir cualquier torcedura de la parte del medio del pie en supinación**
Una primera venda de *Extensa® Plus* de 3 cm sale de la parte interna del pie, sube por el lado externo (el pie está colocado en flexión dorsal, pronación) y finaliza sobre el anclaje. Una segunda tira *Extensa® Plus* de 3 cm sale de la parte interna del empeine, pasa por debajo de la bóveda plantar y vuelve a subir por la cara posterior externa del pie (parte posterior del calcáneo) y finaliza sobre el anclaje.

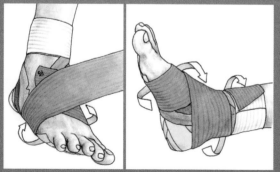

**Cierre del vendaje**
Utilice una venda *Extensa® Plus* de 6 cm que salga desde el empeine, pase por debajo de la bóveda plantar, suba de nuevo por la cara externa del pie y termine sobre el anclaje.

# Esguince de tobillo (LCL o LLE): strapping terapéutico

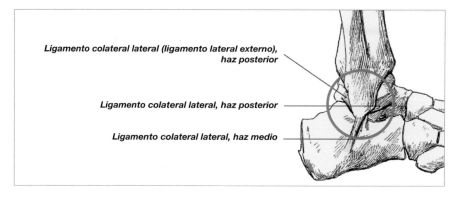

Ligamento colateral lateral (ligamento lateral externo), haz posterior

Ligamento colateral lateral, haz posterior

Ligamento colateral lateral, haz medio

▷ Mecanismo

El esguince externo de tobillo se debe a un traumatismo en equino varo[4] forzado, implicando la elongación, incluso rotura, de uno o varios haces (LCL). La localización del edema se describe como el clásico "œuf de pigeon" [huevo de paloma, en francés]. Son los esguinces más frecuentes.

▷ Su objetivo: anular la flexión plantar y el varo

El haz más frecuentemente afectado es el anterior; así pues será necesario limitar la flexión plantar y el varo (inmovilización en eversión).

▷ Postura del sujeto

El sujeto debe estar en decúbito dorsal, el pie y la pierna fuera de la superficie de la mesa.

---

4   Movimiento que combina la supinación, la aducción y la flexión plantar.

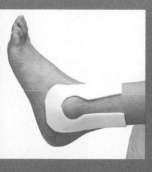

**Combatir el edema**
Coloque espuma de relleno en los huecos anatómicos para favorecer la reabsorción del edema.

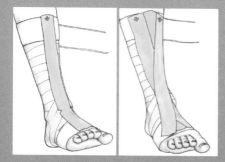

### Limitar la flexión plantar

Después de colocar la espuma y los dos anclajes, el pie debe colocarse en posición de flexión dorsal. A continuación, coloque verticalmente una primera tira de *Omnitape®* de 4 cm sobre la parte anterior de la pierna, y luego añada dos nuevas tiras en diagonal.

Sobre todo, no hay que tensar la cinta.

### Limitar el varo

Con el pie siempre en posición corregida, coloque una tira lateral desde la parte interna, lo más hacia atrás posible, y ascienda por la parte externa hasta el anclaje superior.

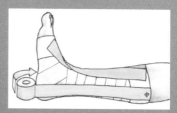

### Drenaje y sujeción de las tiras verticales (1)

Desde el anclaje inferior, coloque una tira horizontal, lo más baja posible. Empiece por el lado interno, rodee el retropié y acabe por el lado externo sobre este mismo anclaje.

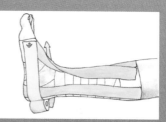

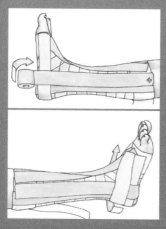

### Drenaje y sujeción de las tiras verticales (2)

Repita estas dos operaciones con otras dos tiras de *Omnitape®* de 4 cm, superponiendo de la mitad hacia delante las tiras verticales y hacia arriba las tiras horizontales.

### Cierre del vendaje

Cierre completamente el montaje hasta el anclaje superior con tiras circulares sin tensión de *Omnitape®* de 4 cm superpuestas por la mitad. Al final, el strapping debe estar completamente cerrado.

# Taping para el drenaje **del tobillo**

Este vendaje se utiliza en caso de un edema de la articulación talocrural (tibio-tarsiana).

▷ **Su objetivo**
Drenaje de la articulación talocrural.

▷ **Postura del sujeto**
En decúbito dorsal.

▷ **Forma**
Doble abanico.

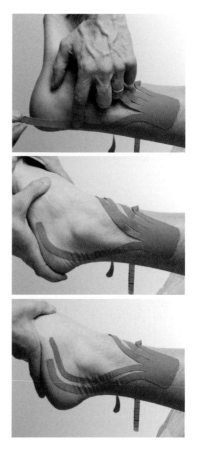

**Colocación del abanico 1:**
**drenaje retromaleolar**
El pie se coloca en dorsiflexión para colocar dos vendas de forma retromaleolar. Las "arrugas" de las vendas se obtienen durante la flexión plantar.

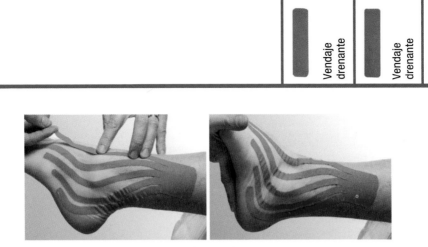

**Colocación del abanico 1: drenaje anterior**
El pie se coloca en flexión plantar para colocar las vendas anteriores y obtener "arrugas" en las vendas durante la flexión dorsal.

**Colocación del abanico 2: drenaje retromaleolar**
El pie se coloca de nuevo en dorsiflexión para colocar una venda de forma retromaleolar. Las "arrugas" de las vendas se obtienen durante la flexión plantar.

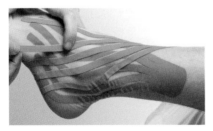

**Colocación del abanico 2: drenaje anterior**
El pie se coloca en flexión plantar para colocar las vendas anteriores y obtener "arrugas" durante la flexión dorsal.

**Resultado**
El drenaje se obtiene gracias a las ondulaciones de la venda durante los movimientos del pie.

# Esguince de tobillo (LCL o LLE): strapping preventivo

▷ **Mecanismo**

El esguince externo de tobillo se debe a un traumatismo en equino varo forzado. Las lesiones producidas obligan a reforzar y estabilizar este tobillo. En caso de inestabilidad residual o de aprehensión, puede recurrirse a un strapping preventivo.

▷ **Su objetivo: evitar las recaídas, estabilizar el tobillo**

Limitar las amplitudes extremas en varo y flexión plantar y permitir la tensión elástica en el sentido del valgo.

▷ **Postura del sujeto**

El sujeto debe estar en decúbito dorsal, el pie y la pierna fuera de la superficie de la mesa.

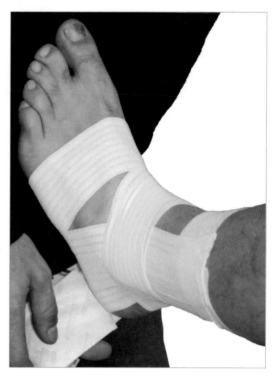

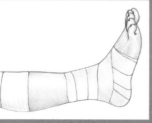

**Protección y anclaje**
Coloque sobre la pierna un anclaje circular sin tensión, con *Extensa®* *Plus* de 6 cm y algunas vendas circulares de espuma protectora (o, en su defecto, un trozo de *Omnifix®*) sobre los tendones salientes.

## Paralizar el varo (1)

Extienda la venda desde el anclaje superior hasta el borde externo del pie; el pie debe estar en flexión dorsal (esto permite evitar el riesgo de compresión que suele producirse en esta zona). Repita una o dos veces esta operación.

## Paralizar el varo (2)

Realice vendajes en forma de ocho con *Extensa® Plus* de 6 cm. Empiece por la parte externa de la pierna, pase por debajo de la bóveda plantar, luego ascienda por la parte externa hacia delante (parte anterior del calcáneo).

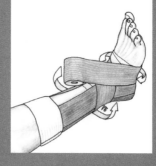

La venda vuelve sobre el empeine, pasa por debajo de la zona plantar, luego asciende por la parte externa hacia atrás (parte posterior del calcáneo) antes de acabar con un vendaje en forma de espiral sobre el anclaje superior.

## Reforzar el montaje antivaro

Realice un cierre anterior y posterior del retropié con *Omnitape®* de 4 cm; estas tiras rígidas acaban sobre el anclaje superior (línea de puntos).

# Taping tonificante o estimulante **para los fibulares**

El objetivo de este montaje es estimular los fibulares en caso de inestabilidad residual.

▷ **Su objetivo**
Reforzar la vigilancia de los músculos estabilizadores laterales externos de la pierna.

▷ **Postura del sujeto**
En decúbito dorsal.

▷ **Forma**
En forma de Y.

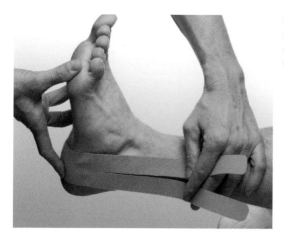

**Colocación del anclaje**
Coloque el anclaje sin tensión (0 %) a la altura del calcáneo (parte inferior).

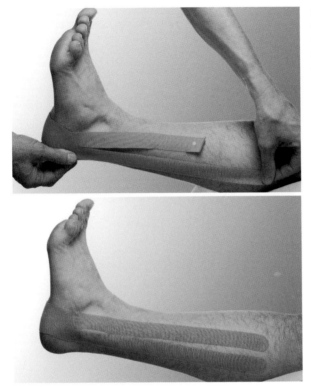

**Colocación de las dos ramas de la Y**

Coloque el pie en eversión (flexión dorsal y valgo) y extienda las dos ramas de la Y con una tensión del 50 %.

**Combinación de drenaje y sujeción mecánica**

Este vendaje puede realizarse sobre otro montaje drenante. Esta opción aportará un efecto estimulante más que estabilizante (en este caso recurrir al strapping). Durante la realización del montaje, coloque siempre el pie en eversión.

# Tendinitis del tibial anterior: strapping terapéutico

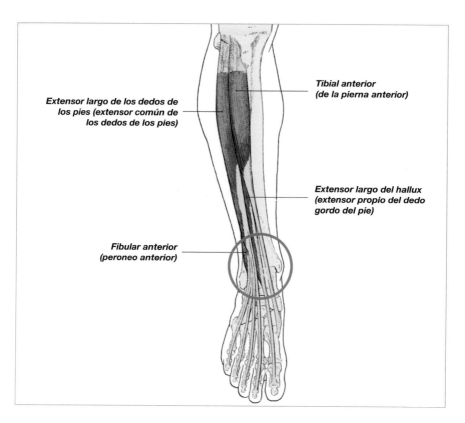

Extensor largo de los dedos de los pies (extensor común de los dedos de los pies)

Tibial anterior (de la pierna anterior)

Extensor largo del hallux (extensor propio del dedo gordo del pie)

Fibular anterior (peroneo anterior)

▷ **Mecanismo**

Se trata de la inflamación del tendón situado en la cara anterior de la pierna sobre la articulación talocrural. Esta tendinitis normalmente se debe al trabajo inhibitorio (o excéntrico) del tibial anterior, durante la carrera o un descenso.

▷ **Su objetivo: reducir las solicitaciones del tibial anterior**

Reducir las presiones en extensión y las contracciones del trabajo muscular del tibial anterior.

▷ **Postura del sujeto**

El sujeto debe estar en decúbito dorsal, con el pie en flexión dorsal.

Anclaje venda elástica · Espuma de protección · Tira activa inelástica · Cierre del vendaje

### Limitar la flexión plantar

Después de haber colocado la espuma y los dos anclajes, el pie se sitúa en flexión dorsal. Coloque primero una tira de *Omnitape®* de 4 cm verticalmente por delante del eje de la flexión-extensión, en la parte anterior de la pierna, luego añada dos nuevas tiras colocadas en diagonal.

### Estabilizar las vendas verticales

Después de haber añadido en cada lado dos tiras activas verticales de *Omnitape®* de 4 cm, coloque dos vendas circulares a la altura del tobillo para reforzar la sujeción a esta altura.

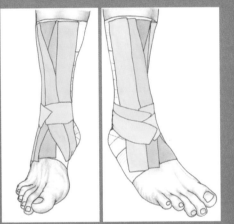

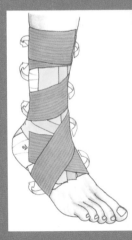

### Cierre del montaje

Cierre el montaje con una venda *Extensa® Plus* de 6 cm en espiral, la cual parte de la cara posteroexterna del pie y termina sobre el anclaje superior.

# Taping destonificante **para el tibial anterior**

Este montaje se utiliza en el caso de tensiones sobre el tibial anterior, sobre todo en la parte baja, por encima y sobre la articulación talocrural (tendinitis incipiente, pero no incapacitante para la función).

▷ **Su objetivo**
Aflojar la parte baja del tibial anterior.

▷ **Postura del sujeto**
En decúbito dorsal.

▷ **Forma**
En forma de I.

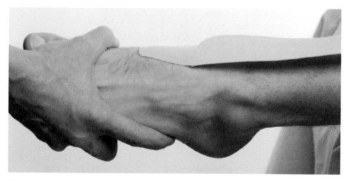

**El conjunto del pie está en flexión plantar**
Coloque el anclaje sin tensión (0 %) más allá del primer metatarsiano y del primer cuneiforme (lugar de su inserción distal) y coloque el pie en flexión plantar.

### Colocación del abanico

Mantenga el pie en flexión plantar y coloque la venda sobre el tibial anterior. La venda vuelve a subir por la parte anterior y externa de la pierna.

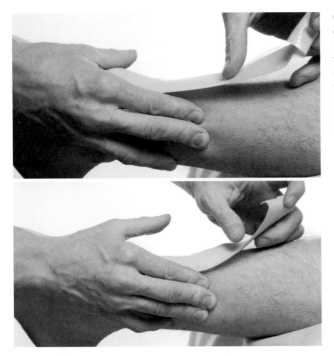

### Resultado

El estiramiento del tibial anterior se obtiene gracias a las arrugas de la venda durante los movimientos de flexión dorsal del pie.

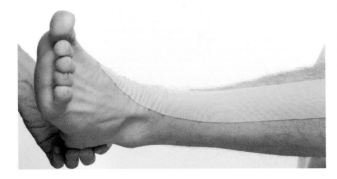

# Síndrome de la confluencia posterior del tobillo: strapping antálgico

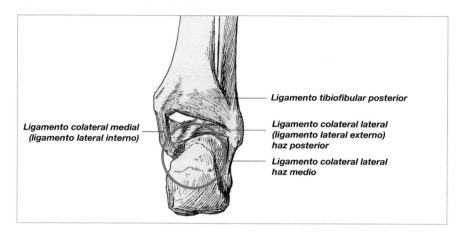

Ligamento tibiofibular posterior

Ligamento colateral medial
(ligamento lateral interno)

Ligamento colateral lateral
(ligamento lateral externo)
haz posterior

Ligamento colateral lateral
haz medio

▷ Mecanismo

Se trata de un dolor localizado en la parte posterior de la cola del astrágalo, a la altura de la interlínea, que impide cualquier flexión plantar brusca. Es un síndrome de hiperutilización del pie del deportista y muy común entre los futbolistas cuando realizan el gesto para golpear la pelota.

▷ Su objetivo

Impedir la flexión plantar máxima o forzada.

▷ Postura del sujeto

El sujeto debe colocarse en decúbito dorsal con el pie en flexión dorsal.

Sobre todo, no hay que comprimir el pie durante el cruzamiento de la venda *Extensa® Plus* de 3 cm por debajo de la bóveda plantar.

### Limitar la flexión plantar (1)

Coja un trozo de venda *Extensa® Plus* de 6 u 8 cm que colocará en forma de brazalete sobre el anclaje superior, luego ejerza una fuerte tensión y fíjela a modo de brazalete al anclaje inferior.

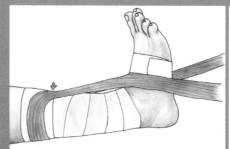

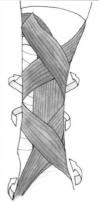

### Limitar la flexión plantar (2)

Coloque sobre la parte anterior de la pierna, del anclaje superior al inferior, tres tiras de *Omnitape®* de 4 cm.

El excedente de venda se coloca en espiral, estabilizando también la parte activa de la tira.

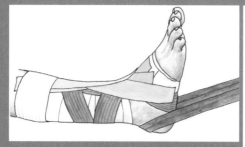

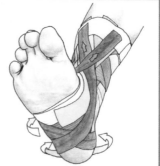

### Tratar el calcáneo

Con un trozo largo de venda *Extensa® Plus* de 3 cm que colocamos en medio sobre la cara posterosuperior del calcáneo, tire el retropié hacia el eje.

Cruce los dos trozos de venda sobre la bóveda plantar, luego ascienda por la cara anterior de la pierna, para acabar sobre el anclaje superior.

# Periostitis tibial: strapping terapéutico

▷ **Mecanismo**

Es una inflamación del periostio del hueso tibial. Puede ser producto de:
- microtraumatismos repetidos por presión de las fascias sobre el periostio;
- la propagación de la onda de choque durante la carrera en superficie dura.

Normalmente, esta dolencia se produce cuando se reparten erróneamente los apoyos en el suelo. En general se produce un hiperapoyo en el primer radio (dedo gordo del pie) y la articulación talocrural está en valgo.

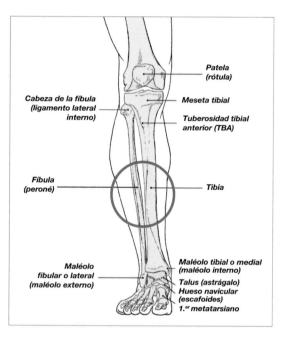

Patela (rótula)

Cabeza de la fíbula (ligamento lateral interno)

Meseta tibial

Tuberosidad tibial anterior (TBA)

Fíbula (peroné)

Tibia

Maléolo fibular o lateral (maléolo externo)

Maléolo tibial o medial (maléolo interno)

Talus (astrágalo)
Hueso navicular (escafoides)
1.er metatarsiano

▷ **Su objetivo: corregir la posición del pie para estirar las fascias**

Descomprimir en sentido longitudinal y transversal los músculos que se insertan en torno a la zona dolorosa y, en la medida de lo posible, corregir momentáneamente las zonas de apoyo del pie en el suelo.

▷ **Postura del sujeto**

El sujeto debe estar en decúbito dorsal, la rodilla ligeramente flexionada con el talón descansando en la superficie de la mesa.

Este montaje realizado al completo aliviará la periostitis. La colocación de una simple venda circular a la altura de la tibia, como suele verse, resulta insuficiente, sobre todo en fase hiperálgica.

**Descomprimir las fascias diagonalmente**

Fije la venda *Extensa® Plus* de 3 cm sobre la parte posterior del tríceps, luego aproxime manualmente las fascias de la tibia. Dé dos vueltas más.

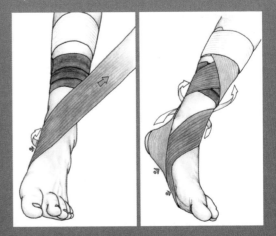

**Limitar el valgo de la articulación talocrural (descompresión de los músculos internos de la pierna)**

Fije una primera venda *Extensa® Plus* de 6 cm en la parte interior de la bóveda plantar, luego ascienda por el empeine y acabe en espiral sobre el anclaje superior.

**Cierre del montaje**

Cierre el montaje con un vendaje en espiral de *Extensa® Plus* de 6 u 8 cm.

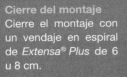

Una segunda venda *Extensa® Plus* de 6 cm sale de la bóveda plantar, asciende por la parte posterointerna del calcáneo y se cierra en espiral sobre el anclaje superior.

# Taping corrector **en caso de periostitis tibial**

Este montaje resulta útil en caso de tensiones tisulares sobre el periostio de la tibia. El origen de estos dolores puede deberse a un hundimiento del arco plantar, con un hiperapoyo en el primer radio (dedo gordo del pie) y un valgo de la articulación talocrural que pone en tensión las fibras del sóleo.

▷ **Su objetivo**
   Corregir la posición del arco plantar y descomprimir las fibras del sóleo.

▷ **Postura del sujeto**
   En decúbito dorsal.

▷ **Forma**
   En forma de I y de Y.

**Corrección mecánica de la bóveda plantar**
El pie se coloca en ligera eversión. Empiece sin tensión desde la cabeza del quinto metatarsiano. Luego ejerza una tensión del 50 % hasta la altura del cuello del astrágalo, donde se sitúa la abertura de la Y. Las dos ramas de la Y ascienden sobre la parte anteroexterna de la pierna y se extienden al 50 %.

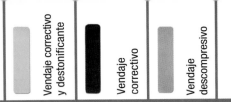

**Venda antivibración y descompresiva**
Coloque un trozo de venda en tensión (50 %) a lo largo de la tibia.

**Corrección de las fascias (1)**
Utilice la Y. La aplicación debe ser perpendicular con relación a las fibras del sóleo. Coloque las riendas sobre la parte alta del sóleo. Después, a la vez que descomprime la zona con su mano, tire de la venda en la dirección de la corrección.

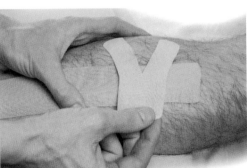

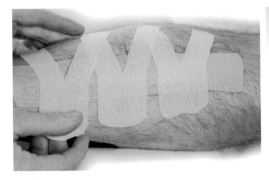

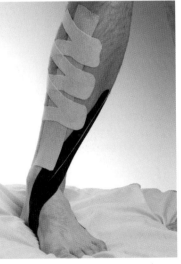

**Corrección de las fascias (2)**
Repita la operación una segunda vez, y después una tercera vez superponiendo las Y a la altura del sóleo.

# Tendinitis de Aquiles: strapping terapéutico

▷ **Mecanismo**

Se trata de una inflamación del tendón que puede deberse a un traumatismo brusco (tendinitis postraumática) o a microtaumatismos repetidos (tendinitis de instalación progresiva).

▷ **Su objetivo: evitar todas las solicitaciones dolorosas del tendón**

Limitar la flexión dorsal para evitar el estiramiento del tendón y suplir el tendón gracias a la elasticidad de las vendas utilizadas.

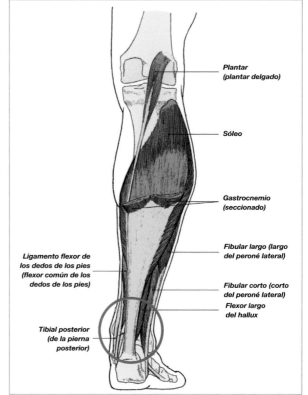

Plantar
(plantar delgado)

Sóleo

Gastrocnemio
(seccionado)

Fibular largo (largo
del peroné lateral)

Ligamento flexor de
los dedos de los pies
(flexor común de los
dedos de los pies)

Fibular corto (corto
del peroné lateral)

Flexor largo
del hallux

Tibial posterior
(de la pierna
posterior)

▷ **Postura del sujeto**

El sujeto debe colocarse en decúbito ventral, con el pie y la pierna fuera de la superficie de la mesa.

Durante la realización del strapping, el pie no debe inmovilizarse más allá de los 100° de flexión.

La contención debe permitirle al sujeto andar normalmente (al principio debe costarle).

### Limitar la flexión dorsal

Después de haber colocado los anclajes, coja un trozo de venda *Extensa® Plus* de 8 cm, realice un corte en cada extremo para confeccionar los cierres en forma de brazalete. Aplique bien el resto de la venda a lo largo del tendón de Aquiles y el gemelo.

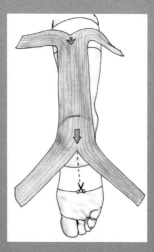

### Tensión elástica

Coloque una venda de *Extensa® Plus* de 3 cm sobre la parte más posterior del calcáneo (talón), ejerza tensión para colocar el pie en flexión plantar, cruce las vendas a la altura del tendón doloroso y finalmente fije los extremos sobre el anclaje superior.

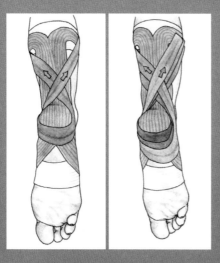

Repita la operación una o dos veces superponiendo las vendas *Extensa® Plus* de 3 cm hacia la parte distal del calcáneo.

### Cierre del montaje

Para solidarizar las tiras activas, cierre el montaje con un vendaje en espiral con *Extensa® Plus* de 6 u 8 cm.

# Taping drenante o destonificante **para el tendón de Aquiles**

Este montaje se utiliza cuando deseamos drenar, oxigenar el tendón de Aquiles o cuando hay tensiones molestas (tendinitis incipiente, pero no incapacitante para la función).

▷ **Su objetivo**
Drenar y descomprimir el tendón de Aquiles.

▷ **Postura del sujeto**
En decúbito ventral.

▷ **Forma**
En forma de I.

**El conjunto del pie está en flexión dorsal**
Coloque el anclaje sin tensión (0 %) sobre la cara inferior del calcáneo, luego mantenga el pie en flexión dorsal y adhiera la venda sobre el tendón de Aquiles hasta la confluencia del sóleo y el gastrocnemio.

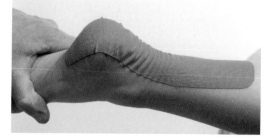

**Resultado**
El drenaje y la extensión del tendón de Aquiles se obtienen gracias a las arrugas que se producen en la venda durante los movimientos de flexión plantar del pie.

# Taping tonificante **para el tríceps y el tendón de Aquiles**

Este montaje sirve para estimular y tonificar el conjunto del tríceps sural, como resultado de una lesión muscular o en caso de una reeducación del tendón de Aquiles con pérdida de fuerza del tríceps.

▷ **Su objetivo**
Tonificar y sujetar los músculos posteriores de la pierna.

▷ **Postura del sujeto**
En decúbito ventral.

▷ **Forma**
En forma de Y.

**Tonificación del sóleo**
A partir del tendón de Aquiles, ejerza una tensión del 50 % sobre las dos ramas de la Y que están colocadas sobre las partes medial y lateral del sóleo.

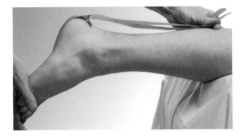

**Colocación del anclaje**
El tobillo se coloca en posición neutra; sitúe el anclaje sin tensión (0 %) en la parte inferior del calcáneo; ascienda hasta el tendón de Aquiles.

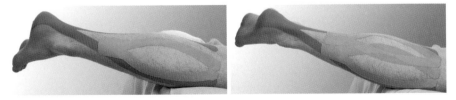

**Tonificación del gastrocnemio**
Coloque otros dos trozos de cinta en forma de Y. Sitúe los anclajes sin tensión sobre la parte alta del tendón de Aquiles, luego ejerza una tensión del 50 % sobre las ramas de la Y, una que delimite el punto medial y la otra el punto lateral del músculo gastrocnemio.

# Desgarro del tríceps: strapping terapéutico

▷ **Mecanismo**
Se trata de una lesión muscular o musculoaponeurótica normalmente localizada en el gastrocnemio interno.

▷ **Su objetivo: evitar el dolor funcional**
El primer montaje se realiza comprimiendo el tríceps para reducir la tensión intramuscular.
Si el primer montaje no proporciona alivio, será necesario combinarlo con un vendaje restrictivo.

▷ **Postura del sujeto**
El sujeto debe estar de pie, apoyado sobre la pierna adelantada para descomprimir el tríceps que hay que inmovilizar (pierna situada atrás).
Durante la realización del strapping, el pie no debe inmovilizarse más allá de los 100° de flexión.

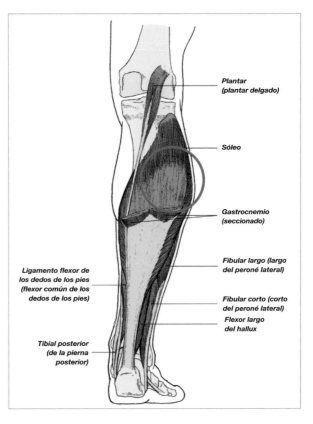

Plantar
(plantar delgado)

Sóleo

Gastrocnemio
(seccionado)

Fibular largo (largo
del peroné lateral)

Fibular corto (corto
del peroné lateral)

Flexor largo
del hallux

Ligamento flexor de
los dedos de los pies
(flexor común de los
dedos de los pies)

Tibial posterior
(de la pierna
posterior)

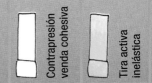

Contrapresión venda cohesiva

Tira activa inelástica

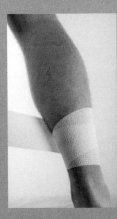

## Colocación de la contrapresión

Empiece por la parte distal del gemelo ejerciendo una tensión constante sobre la venda (70 % de la tensión máxima). Localice la zona de la lesión.

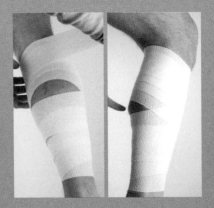

Rodéela de manera que provoque un dovelaje[5] sobre la zona de la lesión.

## Presión sobre la zona de la lesión

Con trozos de *Omnitape*® de 4 cm colocados en forma de espiga, comprima la zona que ha quedado libre.

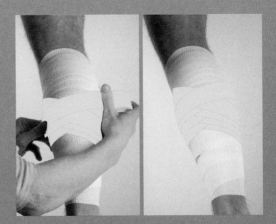

Repita la operación hasta que la zona esté totalmente cubierta.

---

5  Abombamiento o convexidad de la zona que permite aumentar la presión sobre los tejidos (ley de Laplace).

# Desgarro del tríceps: strapping terapéutico

▷ **Mecanismo**

Se trata de una lesión muscular o musculoaponeurótica que normalmente se localiza en el gastrocnemio interno.

▷ **Su objetivo: evitar el dolor en la función**

Cuando el primer vendaje de contrapresión resulta insuficiente, conviene combinarlo con un vendaje restrictivo que impedirá el estiramiento del tríceps en la parte lesionada.

▷ **Postura del sujeto**

El sujeto debe estar de pie, apoyado sobre la pierna adelantada para descomprimir el tríceps que hay que inmovilizar (pierna situada atrás).

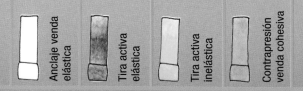

Anclaje venda
elástica

Tira activa
elástica

Tira activa
inelástica

Contrapresión
venda cohesiva

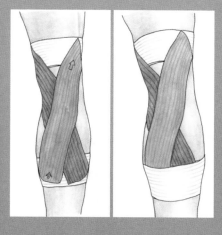

**Limitar la extensión de la rodilla**

Coloque dos anclajes (uno encima de la rodilla y el otro a mitad del gemelo). A continuación, coloque en tensión dos vendas *Extensa® Plus* de 6 cm detrás del eje de flexión-extensión de la rodilla. Finalmente, cierre los anclajes.

**Colocación de la contrapresión**

Con una venda cohesiva, realice vendajes circulares ejerciendo una tensión constante sobre la venda (70 % de la tensión máxima), de la parte distal a la proximal de la pierna. Coloque estos vendajes circulares de manera que obtenga un dovelaje sobre la zona de la lesión.

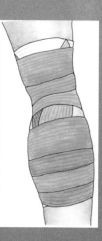

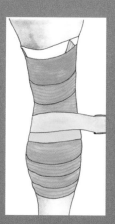

Comprima la zona que ha quedado libre con trozos de *Omnitape®* de 4 cm, colocados en forma de espiga.

# Esguince de rodilla (ligamento colateral tibial o LLI): strapping terapéutico

A causa del débil encaje de la articulación de la rodilla, el strapping preventivo será muy parecido al strapping terapéutico. Sólo podrá reducirse el brazo de palanca.

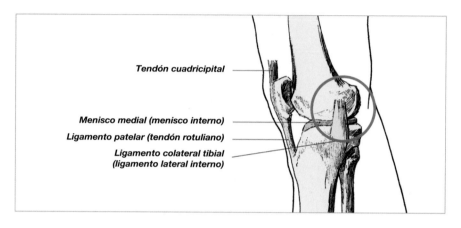

Tendón cuadricipital

Menisco medial (menisco interno)
Ligamento patelar (tendón rotuliano)
Ligamento colateral tibial
(ligamento lateral interno)

> ▶ Mecanismo

Es un movimiento que combina lateralidad y flexión con un componente rotatorio que supera las amplitudes articulares permitidas (movimiento forzado). Las lesiones afectan normalmente el compartimento interno de la rodilla y, después, el ligamento cruzado anterior.

> ▶ Su objetivo: proteger los ligamentos afectados

El strapping debe impedir los movimientos que ponen en tensión el ligamento colateral tibial, el bostezo interno, la extensión completa de la rodilla, así como toda la flexión superior a 60°.

> ▶ Postura del sujeto

El sujeto debe colocarse en decúbito ventral; el miembro inferior que hay que tratar debe estar hacia delante, con una pequeña cuña debajo del talón, y mantener la rodilla ligeramente flexionada.

En el caso de un strapping preventivo, proteja los tendones salientes para no complicar la lesión en la cara posterior de la rodilla.

| | | |
|---|---|---|
| Anclaje venda elástica | Tira activa inelástica | Cierre del vendaje |

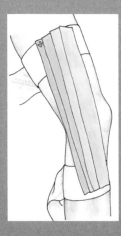

**Proteger el compartimento interno**

Después de colocar los anclajes, coloque 4 tiras activas *Omnitape*® de 4 cm superpuestas cada una de ellas a la anterior, de atrás hacia delante con relación al eje de flexión-extensión. Estas vendas limitan también los últimos grados de extensión y de flexión.

**Reforzar la limitación de las amplitudes de flexión y de extensión**

En el lado externo, coloque 4 tiras activas *Omnitape*® de 4 cm superpuestas cada una de ellas a la anterior y dispuestas de atrás hacia delante con relación al eje de movimiento. Estas vendas refuerzan la limitación de los últimos grados de extensión y de flexión.

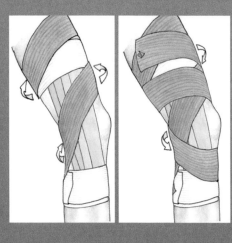

**Reforzar el strapping y mantener las tiras activas**

Coloque una primera venda de *Extensa*® *Plus* de 8 cm en espiral. Esta sale del anclaje inferior (lado externo), cruza por el compartimento interno de la rodilla y termina sobre la cara anterior del muslo.

Coloque una segunda venda *Extensa*® *Plus* de 8 cm en espiral desde la cara anterior del muslo hasta el anclaje inferior. Las dos vendas se cruzan a la altura del compartimento interno de la rodilla.

# Esguince de rodilla (ligamento cruzado anterior o LCA): strapping preventivo

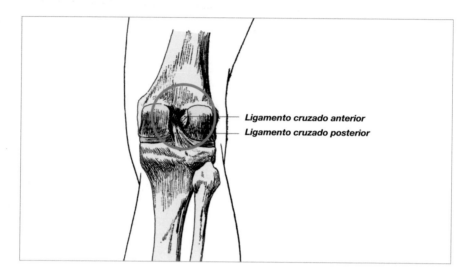

Ligamento cruzado anterior
Ligamento cruzado posterior

▷ **Mecanismo**

Se trata de un esguince grave, definido por la lesión del pivote central, aislado o combinado con lesiones capsuloligamentarias periféricas. Estas lesiones se producen durante los movimientos forzados combinados en valgo-flexión-rotación externa o en varo-flexión-rotación interna.

▷ **Su objetivo: evitar las presiones sobre el LCA**

Para proteger el ligamento cruzado anterior es necesario impedir el movimiento anticipado de la tibia con relación al fémur (cajón anterior).

▷ **Postura del sujeto**

El sujeto debe colocarse en decúbito ventral; el miembro inferior afectado debe estar colocado hacia delante, con una pequeña cuña debajo del talón y la rodilla ligeramente flexionada.

A partir del vendaje anterior, coloque vendas que protejan al LCA.

**Impedir el avance de la tibia hacia delante o "cajón anterior"**
Las vendas que limitan el avance de la tibia hacia delante deben respetar el trayecto de los músculos isquiotibiales. Coloque en tensión varias vendas de *Extensa® Plus* de 3 o 6 cm desde la parte interna del muslo hasta la parte anterior de la tibia a la altura de su tuberosidad anterior.

Repita la misma operación en la parte externa. Todas las vendas deben cruzarse sobre la parte anterior de la tibia hasta la altura de su tuberosidad anterior.

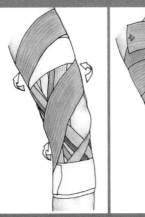

**Reforzar el strapping y mantener las tiras activas**
Coloque las vendas *Extensa® Plus* de 8 cm en espiral (cf. página anterior).

# Dolor meniscal: strapping antálgico

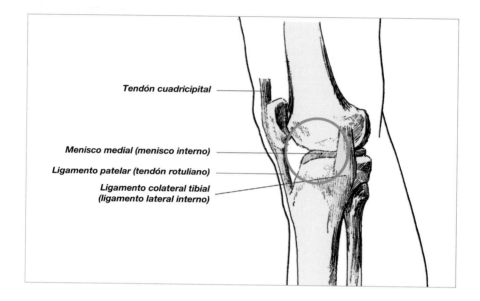

Tendón cuadricipital

Menisco medial (menisco interno)

Ligamento patelar (tendón rotuliano)

Ligamento colateral tibial
(ligamento lateral interno)

▷ Mecanismo

A menudo, el dolor meniscal aparece tras una compresión-aplastamiento de menisco, durante un movimiento forzado combinando la rodilla flexionada con una rotación externa o interna.

▷ Su objetivo: evitar las presiones meniscales importantes

Hay que hablar en términos de amplitudes de movimiento dolorosas. Los meniscos son solicitados en extensión completa de rodilla así como en flexión máxima combinada con las rotaciones.

▷ Postura del sujeto

El sujeto debe colocarse en decúbito ventral; el miembro inferior que debe inmovilizarse debe estar colocado hacia delante, con una pequeña cuña debajo del talón y la rodilla ligeramente flexionada.

| | | |
|---|---|---|
| Anclaje venda elástica | Tira activa inelástica | Cierre del vendaje |

**Limitar las amplitudes de flexión y de extensión**
Después de haber colocado los anclajes, disponga 4 tiras activas de *Omnitape*® de 4 cm superpuestas cada una de ellas a la anterior de atrás hacia delante con relación al eje de la flexión-extensión.

En el lado externo, coloque 4 tiras activas de *Omnitape*® de 4 cm superpuestas cada una de ellas a la anterior de atrás hacia delante con relación al eje de movimiento.

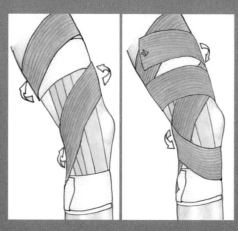

**Reforzar el strapping y mantener las tiras activas**
Coloque una venda de *Extensa*® *Plus* de 8 cm en espiral.

# Taping para el drenaje **de la rodilla**

Este montaje se utiliza en caso de edema y/o hematoma en la rodilla, tanto para la cara anterior como para la cara posterior. Es aconsejable durante el período postoperatorio inmediato porque la descompresión combinada con el drenaje aporta un efecto antálgico.

▷ **Su objetivo**
Descongestionar la articulación, favorecer el drenaje y la reabsorción del edema y del hematoma.

▷ **Postura del sujeto**
Para la colocación anterior: en decúbito dorsal y, si es posible, con la rodilla flexionada a 110°; si no puede, debe estirar la piel con su propia mano. Para la colocación posterior: en decúbito ventral, con la rodilla en extensión.

▷ **Forma**
En forma de doble abanico.

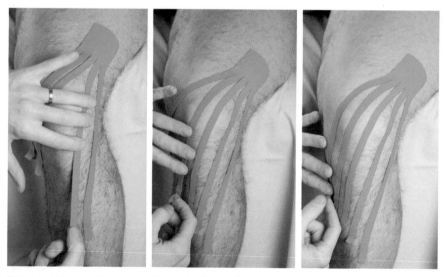

**Drenaje anterior (1), colocación del primer abanico**
Coloque la base por encima de la rodilla. La primera hebra rodea la rótula; la segunda, tercera y cuarta hebras pasan por encima de la rótula. Se colocan sin tensión.

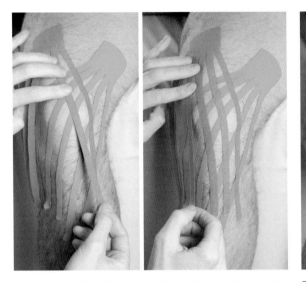

**Drenaje anterior (2), colocación del segundo abanico**
Una vez realizado el anclaje, coloque las cinco hebras sin tensión, en diagonal con relación a las anteriores.

**Resultado**
Durante los movimientos de rodilla, las arrugas que provocan las tiras favorecen el drenaje de la rodilla.

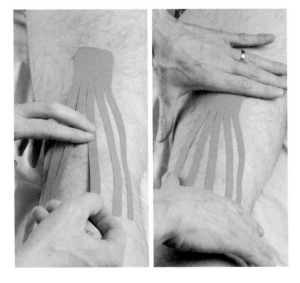

**Drenaje posterior**
Coloque el anclaje por encima de la fosa poplítea; las 5 hebras se aplican sin tensión y perpendicularmente en la cara posterior de la rodilla.

# Dolor de la articulación fibulotiabial superior: strapping antálgico

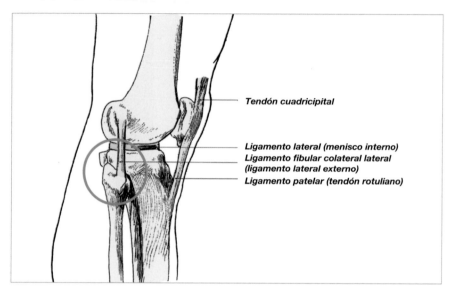

Tendón cuadricipital

Ligamento lateral (menisco interno)
Ligamento fibular colateral lateral
(ligamento lateral externo)
Ligamento patelar (tendón rotuliano)

▷ **Mecanismo**

Este tipo de dolor está relacionado con la hipermovilidad de la articulación fibulotibial superior o con su bloqueo (en este caso el strapping no sirve de nada).

▷ **Su objetivo: estabilizar la articulación**

Conviene determinar la posición de la cabeza de la fíbula, que puede ser anterior o posterior.

▷ **Postura del sujeto**

El sujeto debe estirarse sobre la espalda con la rodilla ligeramente flexionada.

> El vendaje propuesto estabiliza la cabeza de la fíbula hacia delante e impide que retroceda. Depende de usted adaptar la técnica en función del caso que se le presente.

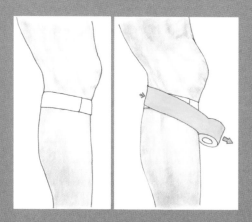

**Colocar la cabeza de la fíbula hacia delante**
Una vez realizado el anclaje con *Extensa® Plus* de 3 cm, que sirve como amarre, coloque un trozo de *Omnitape®* de 4 cm en la parte posterosuperior de la articulación y ejerza tensión hacia delante.

Refuerce el montaje con otro trozo de *Omnitape®* de 4 cm. Nace en la parte posteroinferior de la articulación y termina en la parte anterior.

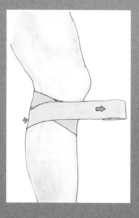

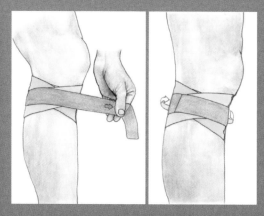

**Estabilizar la fíbula**
Coloque una última tira circular con *Extensa® Plus* de 3 cm que debe apoyarse ligeramente a la altura de la fíbula.

# Tendinitis del ligamento patelar (tendón rotuliano): strapping terapéutico

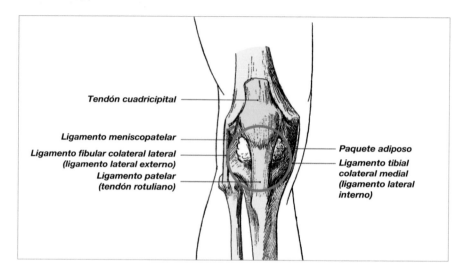

Tendón cuadricipital

Ligamento meniscopatelar

Ligamento fibular colateral lateral
(ligamento lateral externo)

Ligamento patelar
(tendón rotuliano)

Paquete adiposo

Ligamento tibial
colateral medial
(ligamento lateral
interno)

> ▷ Mecanismo

Se trata de la inflamación del ligamento situado en la cara anterior de la rodilla. Esta tendinopatía normalmente se debe a la función de freno (excéntrico) del ligamento patelar durante la marcha o la carrera en descenso, o durante las recepciones de saltos.

> ▷ Su objetivo: bajar la rótula para aliviar el tendón

Descomprimir el ligamento y permitir que este repose parcial o totalmente.

> ▷ Postura del sujeto

El sujeto debe estirarse sobre la mesa en decúbito dorsal, la rodilla debe estar ligeramente flexionada de manera que la rótula encaje correctamente en la tróclea.

No olvide proteger estas zonas antes de cerrar la contención para evitar que se lesionen los tendones salientes de la cara posterior de la rodilla.

| | |
|---|---|
| Anclaje venda elástica | Tira activa elástica |
| Tira activa inelástica | Cierre del vendaje |

## Descenso de la patela (1)

Una vez colocado el anclaje con *Extensa® Plus* de 6 cm en el tercio superior de la pierna, coloque el centro de la venda *Extensa® Plus* de 3 cm por encima de la patela; realice manualmente el descenso de la patela. Finalmente, fije los dos puntos verticales sobre la piel y el anclaje.

## Descenso de la patela (3)

Coloque una nueva venda de *Extensa® Plus* de 3 cm superpuesta hacia atrás con relación a la primera.

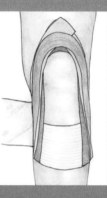

## Descenso de la patela (2)

Coloque dos vendas rígidas de *Omnitape®* de 4 cm. Una en la parte interna y otra en la externa.

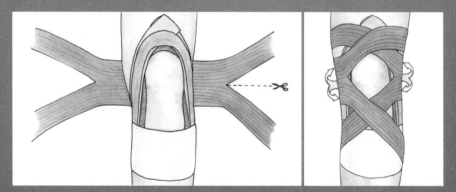

## Cierre

Tome un trozo de venda *Extensa® Plus* de 8 cm, que cortará por los dos extremos (en el sentido longitudinal), para rodear la patela.

## Subluxación de la patela: strapping terapéutico y preventivo

▷ **Mecanismo**

Durante ciertas actividades deportivas, y en ocasiones durante las actividades de la vida diaria, la patela tiende a subluxarse hacia fuera. Es una afectación que suelen padecer las mujeres.

▷ **Su objetivo: evitar el desplazamiento lateral externo de la patela**

Mantener la patela en el eje de la articulación de la rodilla.

▷ **Postura del sujeto**

El sujeto debe estar estirado sobre la mesa en decúbito dorsal.

Para obtener un resultado óptimo, varíe el grado de flexión de la rodilla cuando coloque las vendas.

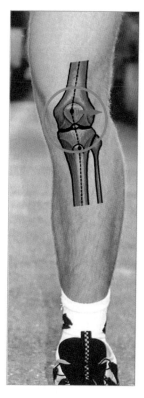

Recuerde proteger estas zonas antes de cerrar la contención para evitar que se lesionen los tendones salientes de la cara posterior de la rodilla.

**Reforzar el compartimento externo (1)**
Coloque una venda *Extensa® Plus* de 3 cm en tensión en medio sobre la cara lateral externa de la patela para impedir su desplazamiento externo.

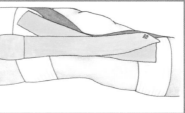

**Reforzar el compartimento externo (2)**
Varíe el grado de flexión de la rodilla. A continuación, coloque una tira de venda rígida *Omnitape®* de 4 cm a lo largo de la cara lateral externa de la patela, y luego otra.

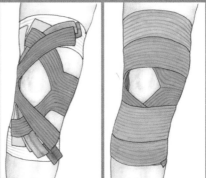

Si es necesario, acabe con una nueva venda *Extensa® Plus* de 3 cm superpuesta a la anterior con relación a la primera.

**Cierre**
Coloque un trozo de venda *Extensa® Plus* de 8 cm, que cortará (en sentido longitudinal) en los dos extremos para poder rodear la patela, luego doble los trozos de la venda de un lado a otro.
Cierre el montaje con una venda *Extensa® Plus* de 8 cm.

# Taping para la descompresión **patelar (rótula)**

Este montaje está indicado para tratar una lesión femoropatelar (degeneración del cartílago de la patela) o la presencia de dolor patelar durante la flexión de rodilla.

▷ **Su objetivo**
Aliviar la articulación a través de un vendaje que favorece la decoaptación de la patela.

▷ **Postura del sujeto**
En decúbito dorsal con la rodilla ligeramente flexionada (60°).

▷ **Forma**
En forma de I.

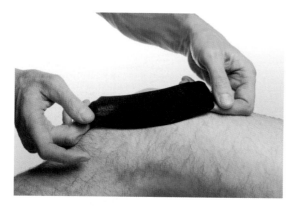

**Parte lateral**
Primero coloque la mitad de la venda de tape en el centro de la cara lateral de la patela. A continuación, ejerza una tensión del 50 % colocando la venda en media luna; esta recubre un tercio de la parte lateral de la patela.

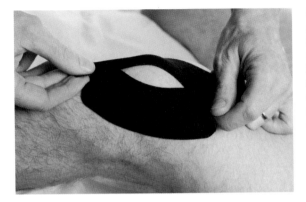

**Parte medial**

Ahora, coloque la mitad de la venda de tape en el centro de la cara medial de la patela ejerciendo una tensión del 50 %, colocando la venda en forma de media luna; esta recubre un tercio de la parte medial de la patela.

**Resultado**

Cuando la rodilla vuelve a estar en extensión, la elasticidad del tape favorece la descompresión de la patela.

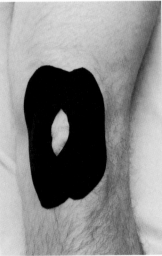

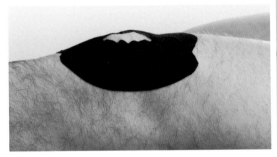

# Desgarro de los isquiotibiales: strapping de urgencia

▷ Mecanismo

Se trata de una lesión muscular o musculoaponeurótica localizada en la parte posterior del muslo.

La lesión nunca pasa inadvertida durante el esfuerzo, se produce de repente y siempre en un lugar concreto, tanto durante una contracción rápida y brusca (durante la aceleración) como durante una contracción opuesta (cuando hay desaceleración), o un estiramiento brusco.

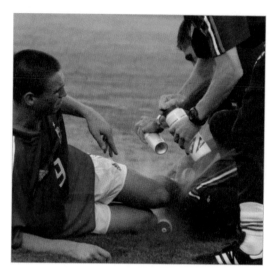

▷ Su objetivo: evitar la hemorragia interna

Coloque rápidamente un vendaje muy compresivo con una venda cohesiva (tensión en la venda del cien por cien) que mantendrá colocado entre 6 y 8 minutos, lo que favorece la coagulación sanguínea para restringir la hemorragia interna.

▷ Postura del sujeto

El sujeto debe estar estirado sobre la espalda. Si está de pie, el miembro inferior que debe inmovilizarse debe colocarse hacia atrás, con la rodilla ligeramente flexionada para descomprimir la musculatura.

Este strapping se realiza sean cuales sean el lugar y el grado del desgarro.

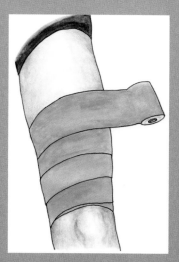

**Colocación de la compresión**
Utilice una venda cohesiva de forma circular. Empiece por la parte distal del muslo ejerciendo una tensión contaste sobre la venda (cien por cien); cada vuelta se superpone a la mitad de la anterior.

El vendaje debe cubrir todo el segmento del miembro dañado.

# Desgarro de los isquitiobiales: strapping terapéutico

▷ **Mecanismo**

Se trata de una lesión muscular o musculoaponeurótica localizada en la parte posterior del muslo.

▷ **Su objetivo: evitar el dolor funcional**

Si el primer vendaje de contrapresión no alivia al paciente, conviene combinarlo con un montaje restrictivo para impedir el estiramiento de los isquiotibiales.

▷ **Postura del sujeto**

El sujeto debe estar de pie. El miembro inferior que debe inmovilizarse tiene que colocarse hacia atrás, con la rodilla ligeramente flexionada.

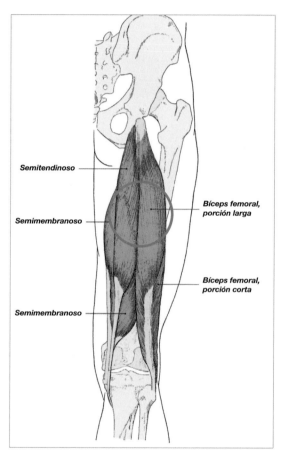

Semitendinoso

Semimembranoso

Bíceps femoral, porción larga

Bíceps femoral, porción corta

Semimembranoso

**Posición del sujeto**
El sujeto debe estar de pie. El miembro inferior que debe inmovilizarse debe colocarse hacia atrás con la rodilla ligeramente flexionada.

**Limitar la extensión de la rodilla (1)**
Coloque una tira vertical *Extensa® Plus* de 8 cm en tensión. Para obtener un punto de anclaje más eficaz, córtela en sentido longitudinal y fíjela a modo de brazalete sobre los anclajes.

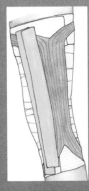

**Limitar la extensión de la rodilla (2)**
Para limitar la extensión de la rodilla, coloque verticalmente a lo largo de todo el muslo vendas *Omnitape®* de 4 cm.

Coloque, en diagonal, varias tiras *Omnitape®* de 4 cm de manera que los puntos de cruce de estas vendas se produzcan sobre la lesión. Repita la operación superponiendo las vendas desde la mitad de la anterior hacia abajo.

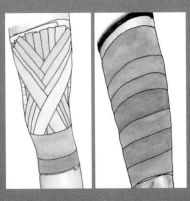

**Colocación de la contrapresión**
Con una venda cohesiva, realice vendajes circulares, ejerciendo una tensión constante sobre la venda (70 % de la tensión máxima), desde la parte distal del muslo hasta la parte proximal.

# Taping destonificante y drenante **para los isquiotibiales**

Este montaje asume varias funciones: se utiliza en caso de tensión muscular (contractura) o en caso de un edema y/o un hematoma en los isquiotibiales, como resultado de un desgarro o de una contusión muscular.

▷ **Su objetivo**
Descongestionar la zona, favorecer el drenaje y la reabsorción del edema y del hematoma.

▷ **Postura del sujeto**
Para estirar los isquiotibiales, la cadera debe estar en flexión. Para eso, sitúe al sujeto en decúbito ventral y coloque la pierna que hay que tratar fuera de la mesa, la cadera en flexión con la rodilla estirada y el pie apoyado en el suelo.

▷ **Forma**
En forma de Y.

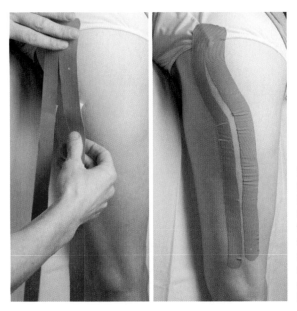

**Drenaje de la cara posterior del muslo (1)**
Coloque el anclaje por encima de la tuberosidad isquiática. Las dos ramas de la Y se colocan (0 % de tensión) sobre el músculo bíceps femoral (sección larga y sección corta) y sobre la parte lateral del semitendinoso.

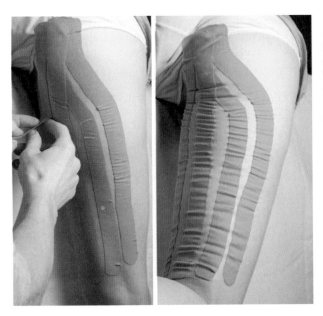

**Drenaje de la cara posterior del muslo (2)**
Una vez colocado el anclaje, las dos ramas de la Y se colocan (0 % de tensión) sobre la parte medial del semitendinoso y de los músculos semimembranoso y grácil.

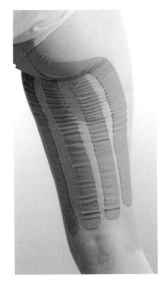

**Resultado**
Durante los movimientos del miembro inferior, las arrugas provocadas por las vendas favorecen el drenaje de los músculos isquiotibiales.

# Taping destonificante y drenante **para el cuádriceps**

Este montaje asume varias funciones: se utiliza en caso de tensión muscular (contractura) o en caso de un edema y/o un hematoma en el cuádriceps, como consecuencia de un desgarro o de una contusión muscular.

▷ **Su objetivo**
Descongestionar la zona, favorecer el drenaje y la reabsorción del edema y del hematoma.

▷ **Postura del sujeto**
En decúbito dorsal con la rodilla flexionada y la pierna en el vacío en el extremo de la mesa; la pelvis debe estar en retroversión.

▷ **Forma**
En forma de Abanico.

**Colocación del anclaje**
Coloque el anclaje sobre la espina ilíaca anterosuperior.

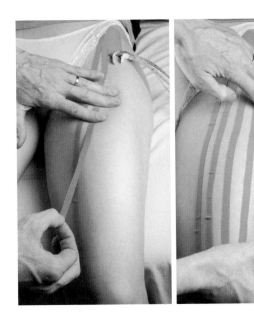

**Drenaje de la cara anterior del muslo**

Cubra el conjunto del cuádriceps con las 5 hebras del abanico. Colóquelas sin tensión, sin olvidar que al mismo tiempo debe tensar la piel con los dedos (si no, la piel no se arrugará en la mitad del montaje).

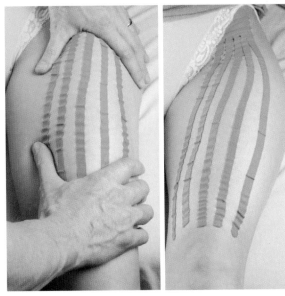

**Resultado**

Las arrugas se obtienen durante la extensión de la rodilla, o cuando se encoge manualmente el cuádriceps.

# Taping tonificante **para el femoral**

Este montaje tiene como objetivo estimular y tonificar el conjunto del cuádriceps después de una lesión muscular o por un déficit de fuerza muscular.

▷ **Su objetivo**
   Tonificar y sujetar el cuádriceps.

▷ **Postura del sujeto**
   En decúbito dorsal con la rodilla ligeramente flexionada.

▷ **Forma**
   En forma de I.

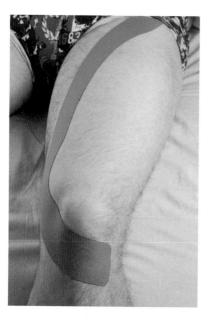

**Tonificación del cuádriceps femoral (1)**
Primero coloque el anclaje perpendicularmente sobre el ligamento patelar y, a continuación, ascienda a lo largo del vasto medial hasta la espina ilíaca anterosuperior ejerciendo una tensión del 25 al 50 % (en función de la necesidad).

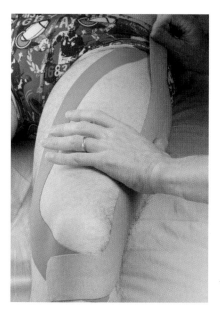

**Tonificación del cuádriceps femoral (2)**
En primer lugar, coloque el anclaje perpendicularmente sobre el ligamento patelar y, a continuación, ascienda a lo largo del vasto hasta la espina ilíaca anterosuperior ejerciendo una tensión del 25 al 50 % (en función de la necesidad).

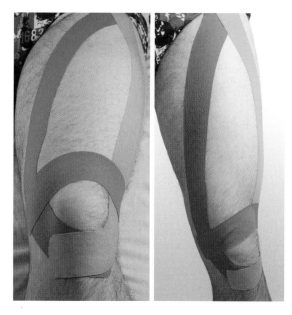

**Cierre del vendaje**
Como el cuádriceps es un músculo muy potente, para evitar que se desprendan las vendas y sujetar este tape tonificante, coloque un trozo de venda en forma de media luna a la altura de los vastos medial y lateral.

## Taping corrector y destonificante **para la fascia lata (síndrome del limpiaparabrisas)**

Este montaje se utiliza en caso de tensiones tisulares en la fascia lata, sobre todo en su parte baja, en el epicóndilo lateral de la rodilla.

▷ **Su objetivo**
Corregir la posición del arco plantar y descomprimir la fascia lata.

▷ **Postura del sujeto**
En decúbito lateral.

▷ **Forma**
En forma de I y de Y.

*En caso de pie plano, combine este montaje con el taping corrector para el pie plano.*

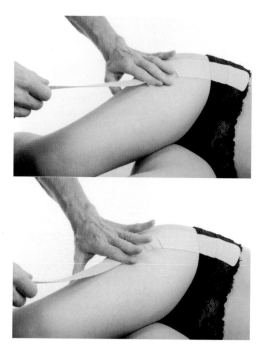

**Descompresión de la fascia lata**
El fémur se coloca en aducción; adhiera el anclaje por encima de la espina ilíaca anterosuperior. Coloque la venda sin tensión, tensando al mismo tiempo la piel. La rodilla se coloca en casi extensión.

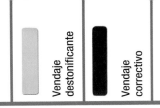

**Resultado**

Se obtienen arrugas durante la abducción de la cadera y la flexión de la rodilla.

### Corrección de las fascias

Utilice las vendas en forma de Y. La aplicación es en perpendicular a las fibras de la fascia lata. Primero coloque el anclaje en la parte anterior de la fascia lata. A continuación, al mismo tiempo que descomprime la zona con el dedo, tire de las ramas de la Y en la dirección de la corrección. Repita esta operación una vez.

**Resultado**

Coloque una tercera venda en forma de Y, superponiendo las vendas hacia la parte superior de la fascia lata.

## Lumbalgia aguda: strapping terapéutico

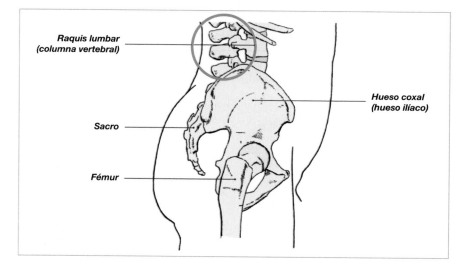

Raquis lumbar
(columna vertebral)

Hueso coxal
(hueso ilíaco)

Sacro

Fémur

▷ **Mecanismo**

El lumbago es un episodio agudo o subagudo del dolor de espalda. Sobreviene durante un movimiento o enderezamiento asociado a una rotación.

▷ **Su objetivo: mantener la axialidad lumbar**

La contención:
- reducirá las presiones limitando ciertos movimientos, como la flexión anterior del tronco y los movimientos de rotación lumbar;
- permitirá tomar conciencia de los gestos o de los movimientos que no debe realizar, para sustituirlos por movimientos adaptados.

▷ **Postura del sujeto**

El sujeto debe estar de pie.

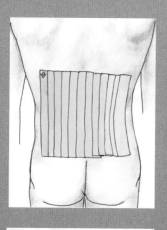

### Limitar la flexión anterior (1)

Coloque verticalmente a lo ancho de toda la región lumbar vendas inelásticas *Omnitape®* de 4 cm superponiéndolas sobre la mitad de la anterior.

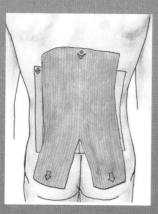

### Limitar la flexión anterior (2)

Para aumentar la acción de estas vendas, añada una venda *Extensa® Plus* de 20 cm, que seccionará por el medio para que pueda colocar los dos trozos a ambos lados del pliegue interglúteo. De esta manera la tensión elástica es superior.

### Limitar las rotaciones

Coloque diagonalmente una primera tira de *Extensa® Plus* de 8 cm en tensión. Esta va de la parte anterior del tórax (últimas costillas) hasta la altura de la cresta ilíaca opuesta (espina ilíaca anterosuperior). La segunda se extiende desde la otra parte anterior del tórax (últimas costillas) hasta la altura de la cresta ilíaca opuesta (espina ilíaca anterosuperior).

# Taping destonificante **para la región lumbar**

Este montaje está indicado en caso de tensiones musculares o tras manipular el raquis lumbar.

▷ **Su objetivo**
Producir "bombeos" lumbares, oxigenar y descomprimir la zona tensa y dolorosa.

▷ **Postura del sujeto**
De pie, inclinado hacia delante.

▷ **Forma**
En forma de I.

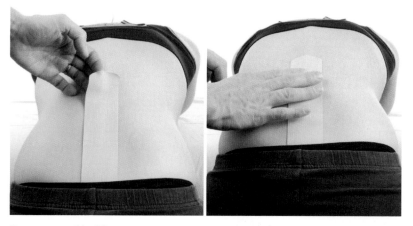

**Descompresión (1)**
El anclaje distal se coloca en el borde de la meseta sacra. Adhiera la primera venda sin tensión desde el sacro hasta la altura de las últimas costillas.

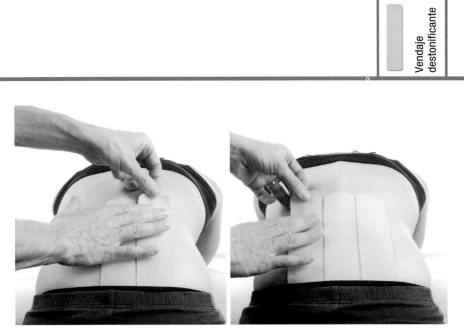

**Descompresión (2)**
Se colocan otras dos vendas sin tensión sobre los músculos paravertebrales.

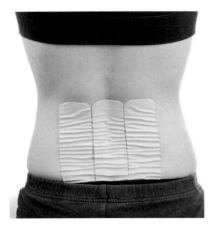

**Resultado**
Al ponerse derecho, las vendas se arrugan.

# Taping para la descompresión **lumbar**

Este montaje está indicado en caso de dolor lumbar, como consecuencia de un episodio agudo, tipo lumbago.

▷ **Su objetivo**
Descomprimir y relajar la zona.

▷ **Postura del sujeto**
De pie, inclinado hacia delante.

▷ **Forma**
En forma de Y y de I.

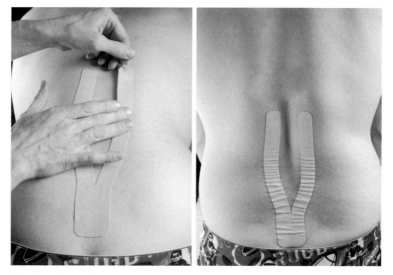

**Montaje destonificante**
Coloque el anclaje distal sobre el sacro, por encima del pliegue interglúteo. Luego, coloque las dos ramas de la Y sin tensión a ambos lados de la columna vertebral. Al ponerse derecho, se arrugarán las vendas.

Vendaje
destonificante

Vendaje
descompresivo

Vendaje
descompresivo

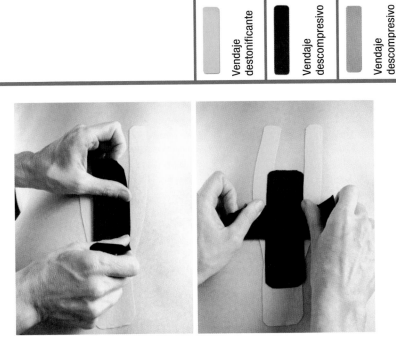

### Vendaje de descompresión (1)

Coloque otras dos vendas en forma de cruz. El centro de cada venda se coloca encima de la zona dolorida ejerciendo el 50 % de tensión y el 30 % restante en los extremos.

### Vendaje de descompresión (2)

Coloque otras dos vendas en forma de X. De la misma manera, el centro de cada venda se coloca encima de la zona dolorida ejerciendo el 50 % de tensión y el 30 % restante en los extremos.

### Vendaje final

Al ponerse derecho, el sujeto debe notar descompresión en la zona.

# Contusiones torácicas o fractura parcelar de costilla: strapping terapéutico y antálgico

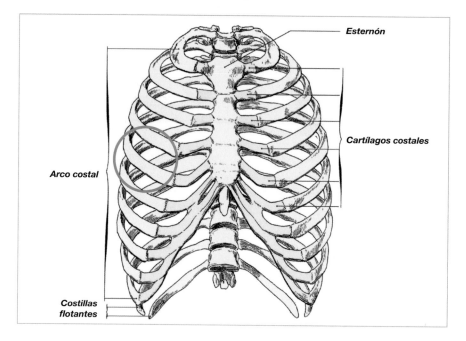

Esternón

Cartílagos costales

Arco costal

Costillas flotantes

▷ **Mecanismo**
Golpe recibido en el tórax a la altura de las costillas.

▷ **Su objetivo: limitar el movimiento de las costillas**
Impedir la inclinación contralateral y las rotaciones. Facilitar una acción compresiva en la zona afectada para limitar la amplificación torácica.

▷ **Postura del sujeto**
El sujeto debe estar sentado en un taburete, con el brazo separado del cuerpo para liberar la parte torácica que debe tratarse.

> Como en este lugar es imposible proteger la piel con una espuma protectora, es aconsejable que esté depilada si se tiene un vello abundante. Cada tres días se renovará la contención; esta medida evitará reacciones en la epidermis.

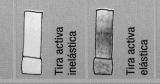

Tira activa inelástica

Tira activa elástica

**Limitar la inflexión lateral**

Coloque verticalmente en la parte lateral del tórax tiras de *Omnitape®* de 4 cm (superponiéndolas sobre la mitad de la anchura de la venda).

**Limitar los movimientos torácicos (1)**

Una vez colocados los anclajes, uno en la parte anterior y otro en la parte posterior del tórax, indíquele al sujeto que espire profundamente. Coloque diagonalmente una primera venda de *Extensa® Plus* de 8 cm. Esta va del anclaje posterior hasta el anclaje anterior.

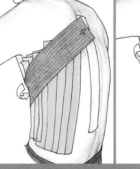

**Limitar los movimientos torácicos (2)**

Siempre en modo espiratorio, multiplique las vendas *Extensa® Plus* de 8 cm superponiéndolas por la mitad hacia abajo. Cierre los anclajes posterior y anterior.

Siempre espirando, coloque en diagonal una segunda venda *Extensa® Plus* de 8 cm de manera que el cruce de ambas tiras se produzca sobre la zona dañada.

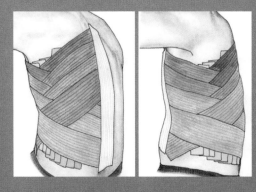

# Taping destonificante **para la región dorsal (interescapular)**

Este montaje puede utilizarse en caso de tensiones musculares a nivel dorsal o después de una manipulación.

▷ **Su objetivo**
Relajar la zona, eliminar las contracturas musculares.

▷ **Postura del sujeto**
Sentado, inclinado hacia delante, con los brazos cruzados.

▷ **Forma**
En forma de X.

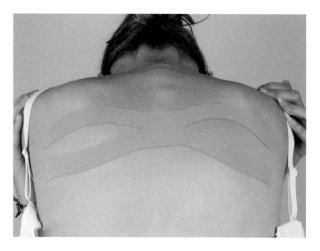

### Destonificación

Adhiera la parte central de la X a la altura de la columna y cerca de la zona dolorida. A continuación, sin tensión, coloque las cuatro ramas de la X sobre las partes tensas o contracturadas.

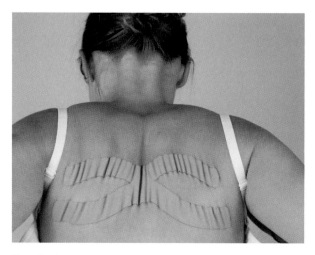

### Resultado

Las arrugas aparecen cuando se endereza el tronco.

# Taping destonificante **para la región cervicoescapular (trapecio superior y elevador de la escápula)**

Este montaje puede utilizarse en caso de tensión muscular en el hombro y en la región cervical.

▷ **Su objetivo**
Descontracturar la zona.

▷ **Postura del sujeto**
Sentado.

▷ **Forma**
En forma de Y y de I.

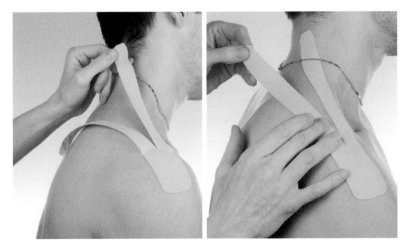

**Montaje destonificante (1)**
Coloque el anclaje sobre el segmento del hombro; la cabeza permanece inclinada contralateralmente, en flexión y rotación homolateral. Coloque las dos ramas de la Y sin tensión. Una que ascienda hasta la inserción alta del trapecio, y la otra colocada por debajo.

### Resultado

La venda se arruga cuando la cabeza se coloca en posición neutra y cuando se levanta el hombro.

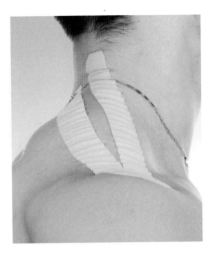

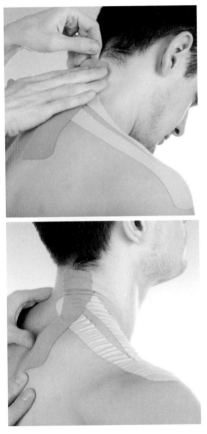

**Montaje destonificante (1)**

Coloque el anclaje más allá del ángulo superointerno de la escápula. La cabeza se sitúa en flexión y rotación homolateral. Coloque la venda sin tensión.

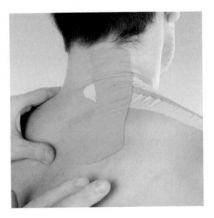

**Montaje final**

La venda se arruga cuando la cabeza se coloca en posición neutra y durante los movimientos de hombro.

## Esguince acromioclavicular: strapping terapéutico

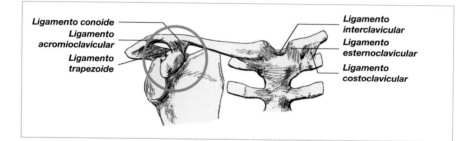

Ligamento conoide
Ligamento acromioclavicular
Ligamento trapezoide

Ligamento interclavicular
Ligamento esternoclavicular
Ligamento costoclavicular

▷ **Mecanismo**

Es una lesión parcial de los ligamentos acromioclaviculares, sin modificación del rendimiento de la articulación. Hablaremos de luxación cuando haya pérdida completa de contacto entre el acromion y la clavícula.

▷ **Su objetivo: estabilizar la clavícula sobre el acromion**

Limitar los movimientos de elevación de la clavícula.

▷ **Postura del sujeto**

El sujeto debe estar en un taburete con el codo apoyado en el borde de una mesa. Proteja el pezón con una compresa y una venda.

Como en este lugar es imposible proteger la piel con una espuma protectora, es aconsejable que esté depilada si se tiene un vello abundante. Cada tres días se renovará la contención; esta medida evitará reacciones en la epidermis.

### Descenso de la clavícula sobre el acromion (1)

Tras situar los anclajes con *Extensa®
Plus* de 6 cm, uno sobre el brazo a la
altura de la V del deltoides y otro sobre el hemitorax, coloque una venda
*Extensa® Plus* de 6 cm en tensión en
forma de puente sobre la articulación
acromioclavicular. A continuación, fíjela sobre los anclajes.

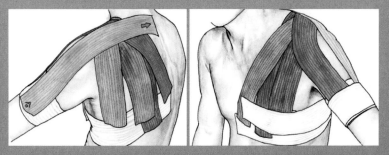

### Descenso de la clavícula sobre el acromion (2)

Repita la operación superponiendo la venda *Extensa® Plus* de 6 cm sobre la
mitad de la anchura de la anterior. Cierre los anclajes con vendas *Extensa®
Plus* de 6 u 8 cm.

### Aportar rigidez al montaje

Para reforzar la contención, coloque a modo de puente las vendas inelásticas *Omnitape®*
de 4 cm. Repita la operación superponiendo la mitad de la anchura de las vendas, luego
cierre los anclajes.

# Esguince acromioclavicular: strapping terapéutico

Este vendaje presenta grandes ventajas. No se adhiere al tórax (solamente algunas vendas alrededor del abdomen) así que puede permanecer colocado varios días. El único inconveniente surge si debe colocarse sobre el tórax femenino.

**▶ Su objetivo: descenso de la clavícula sobre el acromion**
La importancia del brazo de palanca favorecerá la correcta sujeción de la articulación acromioclavicular.

**▶ Postura del sujeto**
El sujeto debe estar de pie, con el brazo ligeramente separado del tórax.

> Este strapping puede ser utilizado durante la actividad física; en ese caso, conviene reforzarlo con estribos verticales de vendas de *Omnitape®* de 4 cm o de *Extensa® Plus* extendidos de un lado a otro de la articulación.

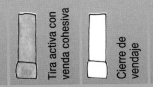

### Descenso de la clavícula sobre el acromion (1)

Inicie el vendaje por la espalda, por el lado de la lesión, por debajo de la escápula fijando la venda cohesiva a la piel con un trozo de cinta adhesiva tipo *Extensa® Plus* de 8 cm.

Luego, continúe a modo de puente sobre la articulación acromioclavicular ejerciendo la máxima tensión posible, para pegar la clavícula al acromion. Cuando llegue a la altura del abdomen, dígale al paciente que sujete con la mano este trozo de venda en diagonal y en tensión.

### Descenso de la clavícula sobre el acromion (2)

Dé la vuelta por el abdomen (circularmente sin tensión), luego apóyese sobre el primer vendaje circular abdominal, suba por la espalda y vuelva a pasar por la articulación acromioclavicular. Recuerde que no debe excederse en la tensión ejercida sobre los vendajes circulares colocados alrededor del abdomen, ya que podrían dificultar la respiración durante los esfuerzos.

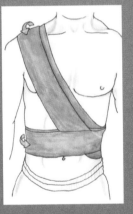

### Espuma de compresión

Antes de pasar por tercera vez sobre el acromion, coloque un trozo de espuma protectora adhesiva sobre la articulación. Realice la última vuelta superponiendo la venda sobre las otras.

### Cerrar el montaje

El montaje finaliza con un vendaje circular sin tensión con *Extensa® Plus* de 8 cm colocado alrededor del abdomen. Este evita que la contención se desplace hacia arriba durante los movimientos del brazo.

# Esguince acromioclavicular: strapping preventivo

▷ Mecanismo

Los esguinces de la articulación acromioclavicular son frecuentes en algunos deportistas (jugadores de rugby). Para evitar recaídas, conviene añadir al strapping clásico un componente antirotativo externo del brazo.

▷ Su objetivo: proteger la clavícula

Limitar la rotación externa del brazo en sus amplitudes extremas. Este montaje se añade al strapping anterior de la articulación del acromioclavicular.

▷ Postura del sujeto

El sujeto debe estar sentado, con la mano apoyada en la mesa y el brazo colocado en abducción y en rotación interna.

| Anclaje venda elástica | Tira activa inelástica | Tira activa elástica | Cierre del vendaje |
|---|---|---|---|

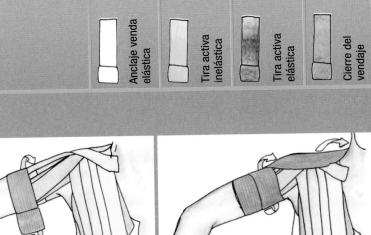

**Limitar la rotación externa del brazo**

Colocar el brazo en rotación interna máxima. Con una venda *Extensa® Plus* de 6 cm, empiece por el anclaje situado sobre la V deltoidea y siga en el sentido de la rotación interna.

Enrolle la venda dos o tres veces alrededor del brazo, luego pase por encima de la articulación acromioclavicular y finalice sobre el anclaje posterior.

**Consolidar y cerrar el montaje**

Consolide el montaje colocando en primer lugar dos vendas *Omnitape®* de 4 cm que reforzarán la venda antirrotación, luego cierre la contención con ayuda de una venda *Extensa® Plus* de 8 cm alrededor del tórax.

# Taping para el drenaje **de la parte posterior del hombro (escápula)**

Este montaje está indicado en caso de dolor en la parte posterior del hombro.

▷ **Su objetivo**
Drenar la zona tras una intervención, y descomprimirla en caso de dolor.

▷ **Postura del sujeto**
De pie.

▷ **Forma**
En forma de abanico y de Y.

**Colocación del vendaje en forma de abanico: drenaje posterior**
El hombro gira hacia delante, basta con colocar la mano sobre el otro hombro. Coloque primero el anclaje en la parte delantera del acromion y luego, sin tensión, adhiera cada una de la hebras del abanico.

**Colocación del vendaje en forma de Y sobre el deltoides (parte posterior)**
Coloque primero el anclaje a la altura de la V deltoidea y luego el hombro en aducción (coloque la mano sobre el otro hombro, adhiera entonces la rama posterior sin tensión).

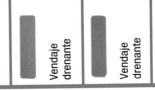

**Colocación del vendaje en forma de Y**
**sobre el deltoides (parte anterior)**
Para colocar la rama anterior de la Y, mantenga el brazo a lo largo del cuerpo y ligeramente hacia atrás.

**Colocación del vendaje en forma de Y**
**sobre los extremos de la escápula**
Coloque el anclaje por debajo del ángulo inferior de la escápula. Ponga la mano sobre el otro hombro, adhiera entonces la primera rama de la Y a lo largo del extremo lateral de la escápula hasta la parte posterior del deltoides. La segunda rama se coloca a lo largo del extremo medial.

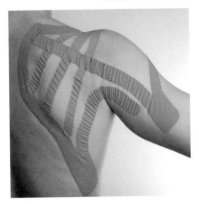

**Resultado**
El drenaje se obtiene gracias a las arrugas que se producen en la venda durante los movimientos de abducción horizontal y rotación externa del brazo.

# Taping para el drenaje **del hombro**

Este montaje se utiliza en caso de dolor en los hombros o tras una intervención quirúrgica.

▷ **Su objetivo**
Drenar y descomprimir la zona.

▷ **Postura del sujeto**
De pie.

▷ **Forma**
En forma de doble abanico.

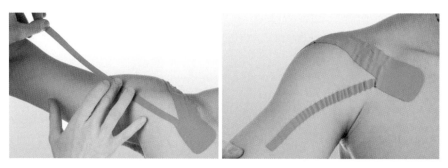

**Colocación del vendaje en forma de abanico: drenaje anterior y lateral (1)**
El anclaje se coloca debajo de la hemiclavícula. Coloque el brazo en extensión y en elevación hacia atrás, y aplique las vendas empezando por abajo a la vez que baja el brazo.

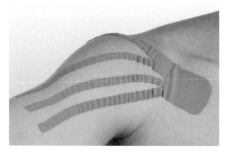

**Resultado**
El drenaje se obtiene gracias a las arrugas de la venda durante los movimientos de abducción y rotación interna del brazo.

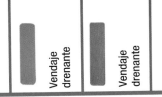
**Colocación del vendaje en forma de abanico: drenaje posterior y lateral (2)**

Coloque la base a la altura de la espina de la escápula, luego coloque las dos hebras inferiores con el brazo en flexión y en aducción máxima.

Las otras hebras se colocan bajando el brazo poco a poco.

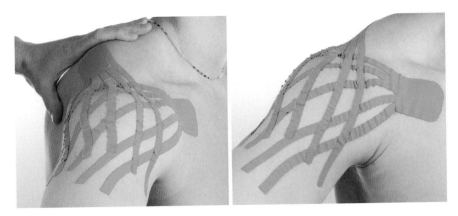

**Resultado**

El drenaje se obtiene gracias a las arrugas que se producen en la venda durante los movimientos del hombro.

# Taping destonificante **para el deltoides**

Este montaje está indicado para tratar tensiones y contracturas musculares que afectan el músculo deltoides.

▷ **Su objetivo**
Descomprimir el músculo deltoides que cubre la articulación del hombro.

▷ **Postura del sujeto**
De pie.

▷ **Forma**
En forma de I y de Y.

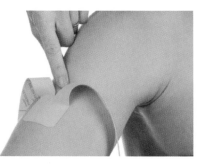

**Colocación de la base**
El anclaje se coloca por debajo de la V deltoidea.

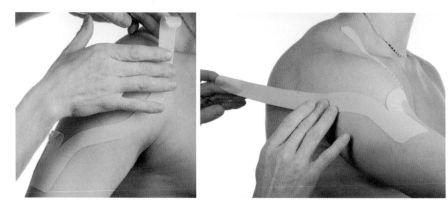

**Colocación de la Y**
Para colocar la hebra anterior, coloque el brazo en abducción y en retropulsión, 0 % de tensión. Para la hebra posterior, coloque el brazo en aducción y antepulsión, luego adhiera la cinta ejerciendo 0 % de tensión.

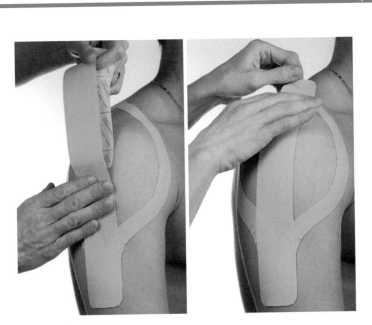

**Colocación de la I**

Coloque la base sobre el primer anclaje, luego con el brazo pegado al cuerpo aplique sin ejercer tensión alguna la venda sobre el haz medio del deltoides. Cierre el vendaje sobre el trapecio.

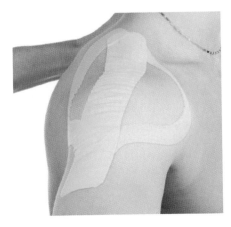

**Resultado**

El drenaje se obtiene gracias a las arrugas que se producen en la venda durante los movimientos del hombro.

# Taping tonificante **para el deltoides**

Este montaje sirve para asistir y reforzar el conjunto del deltoides cuando hay un déficit de fuerza muscular.

▷ **Su objetivo**
Tonificar y sujetar el deltoides.

▷ **Postura del sujeto**
De pie o sentado.

▷ **Forma**
En forma de Y.

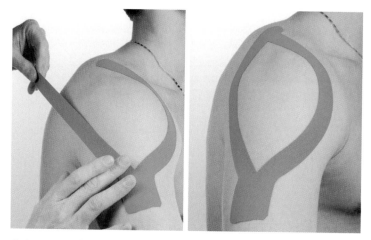

**Colocación de la Y**
La base se coloca por debajo de la V deltoidea. Coloque el brazo en ligera abducción y adhiera primero la hebra anterior y luego la posterior ejerciendo entre el 25 y 50 % de tensión (en función de las necesidades).

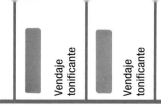

**Colocación de la I**

Coloque la base sobre la primera, luego deje el brazo en ligera abducción y adhiera la venda ejerciendo una tensión del 25 al 50 % (en función de las necesidades) sobre el deltoides medio.

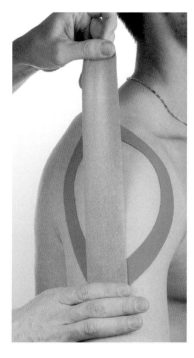

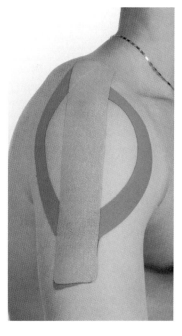

**Resultado**

El deltoides está sujeto cuando el brazo desciende de nuevo a lo largo del cuerpo.

# Tendinitis del bíceps (porción larga): strapping terapéutico

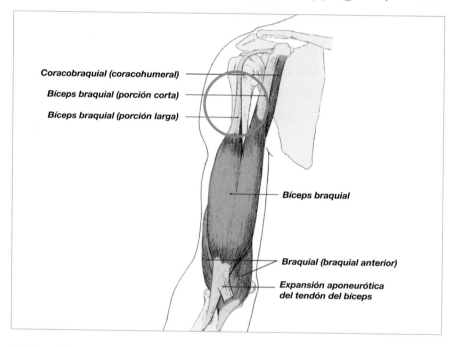

Coracobraquial (coracohumeral)

Bíceps braquial (porción corta)

Bíceps braquial (porción larga)

Bíceps braquial

Braquial (braquial anterior)

Expansión aponeurótica
del tendón del bíceps

▷ Mecanismo

A menudo, la porción larga del bíceps es foco de inflamación (tendinitis). Está sometida a presiones importantes que aumentan cuando la cabeza del húmero está adelantada.

Cuando se produce una fractura, la retracción de la parte alta se produce al principio de la protuberancia.

▷ Su objetivo: reducir las tensiones sobre el tendón

Impedir la retropulsión del brazo y la extensión del codo.

▷ Postura del sujeto

El sujeto debe estar sentado.

> Como el bíceps es un músculo biarticular, es indispensable utilizar una tira con un gran brazo de palanca. Esta debe atravesar las dos articulaciones del hombro y del codo.

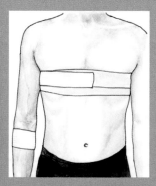

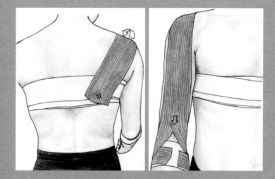

## Anclajes
Coloque un vendaje circular a la altura del tercio superior del antebrazo y luego, si es necesario, coloque alrededor del tórax un vendaje circular con *Extensa® Plus* de 8 cm.

## Limitar el estiramiento del tendón (1)
Para ello, el brazo debe estar en ligera antepulsión[6] y el codo flexionado. La primera tira activa con *Extensa® Plus* de 8 cm sale del anclaje posterior, pasa sobre la articulación acromioclavicular y acaba fijándose a modo de brazalete sobre el anclaje inferior.

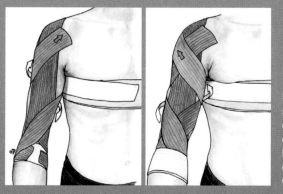

El segundo vendaje en espiral sale del anclaje del antebrazo, del lado interno; pasa por la cara anterior del codo; rodea el brazo y luego acaba sobre la cara anteroexterna del hombro. Cierre el anclaje inferior.

## Limitar el estiramiento del tendón (2)
El primer vendaje en espiral sale del anclaje del antebrazo, del lado externo; pasa por la cara anterior del codo; rodea el brazo y luego acaba sobre la cara anterior del hombro.

---

6   Movimiento que se realiza hacia delante con relación a un eje transversal.

# Taping destonificante **para el bíceps braquial**

Este montaje se utiliza cuando se producen tensiones o contracturas que afectan el músculo bíceps.

▷ **Su objetivo**
Descomprimir el músculo bíceps.

▷ **Postura del sujeto**
De pie.

▷ **Forma**
En forma de Y.

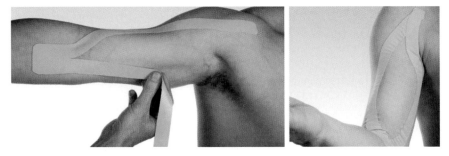

**Colocación de la Y**
Coloque la base por debajo de la inserción distal del bíceps. Para colocar las ramas de la Y con el 0 % de tensión, el codo debe estar extendido y el brazo colocado en abducción horizontal o en retropulsión.

**Resultado**
El drenaje se obtiene gracias a las arrugas que se producen en la venda durante los movimientos del brazo y del hombro.

# Taping para el drenaje **del tríceps braquial**

Este montaje está indicado en caso de sufrir patologías del hombro.

▷ **Su objetivo**
  Drenar y oxigenar el tríceps braquial.

▷ **Postura del sujeto**
  De pie.

▷ **Forma**
  En forma de abanico.

**Colocación del abanico**
Coloque la base por debajo del olécranon y, luego, sitúe el brazo en antepulsión con el codo en flexión. Coloque las hebras del abanico sobre la totalidad del tríceps, ejerciendo 0 % de tensión; finalizan su trayecto sobre la escápula.

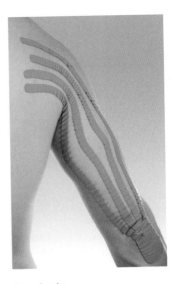

**Resultado**
El drenaje se obtiene gracias a las arrugas que se producen en la venda durante los movimientos del brazo y del hombro.

# Taping tonificante **para el bíceps braquial**

Este montaje sirve para asistir y reforzar el conjunto del bíceps cuando hay un déficit de fuerza muscular.

▷ **Su objetivo**
Tonificar y sujetar el bíceps.

▷ **Postura del sujeto**
De pie o sentado.

▷ **Forma**
En forma de Y.

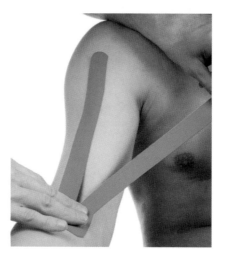

**Colocación de la Y**
La base se coloca por debajo de la inserción distal del bíceps.

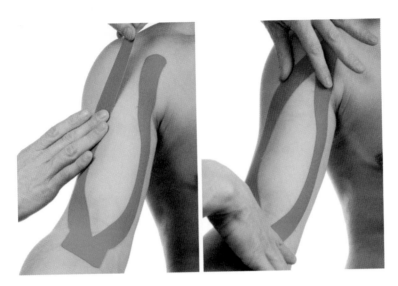

### Colocación de la Y

Coloque el brazo en ligera flexión y antepulsión y, luego, adhiera las ramas de la Y con una tensión del 25 al 50 % (en función de las necesidades), siguiendo los bordes del bíceps.

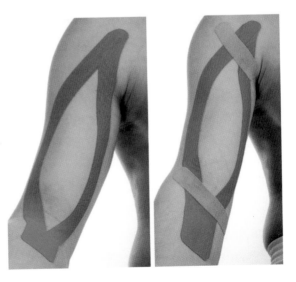

### Acabado del montaje

Siempre con el brazo en suspensión, para evitar que se desprendan las tiras, coloque un trozo de venda en forma de media luna en la parte alta y baja del bíceps para sujetar este tape tonificante.

## Dolor posterior del codo: strapping antálgico

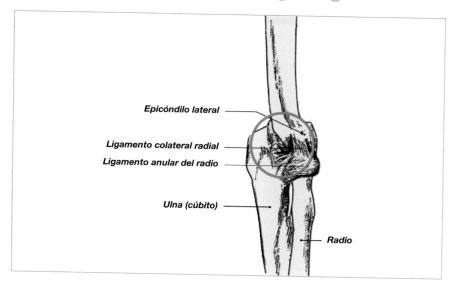

Epicóndilo lateral

Ligamento colateral radial

Ligamento anular del radio

Ulna (cúbito)

Radio

> ▷ Mecanismo

Las extensiones repetidas y el contacto con el suelo a menudo provocan este tipo de dolor posterior. Este tipo de dolencia abunda entre los deportistas que realizan lanzamientos.

> ▷ Su objetivo: impedir los problemas posteriores

Limitar la extensión completa del codo *(recurvatum)* para evitar el tope del olécranon sobre la tróclea.

> ▷ Postura del sujeto

El sujeto debe estar sentado o de pie, con el codo flexionado.

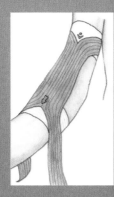

### Limitar el *recurvatum* (1)

Coloque primero dos anclajes con *Extensa® Plus* de 6 cm. A continuación, coja un trozo de venda *Extensa® Plus* de 8 cm y recorte los dos extremos de la venda. Fíjela sobre el anclaje superior y ejerza tensión. Finalmente colóquela a modo de brazalete sobre el anclaje inferior.

### Limitar el *recurvatum* (2)

Para aportar rigidez a la contención, coloque verticalmente tiras de *Omnitape®* de 4 cm sobre la cara anterior del codo.

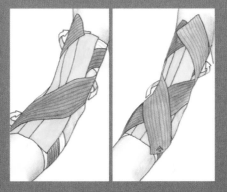

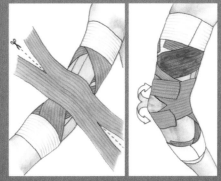

### Limitar el estiramiento del tendón

Coloque una primera venda en forma de espiral con *Extensa® Plus* de 6 cm; esta va del lado externo del antebrazo hasta la parte externa del brazo.

Coloque una segunda venda en forma de espiral con *Extensa® Plus* de 6 cm, que va del lado interno del antebrazo hasta el lado interno del brazo.

### Cerrar el montaje

Coja un trozo de venda *Extensa® Plus* de 8 cm y corte los dos extremos.

Adhiera la parte central de esta venda sobre la cara anterior del codo; luego, cierre la contención pasando de una parte a la otra del olécranon.

# Tendinitis de los epicondíleos (epicondilitis): strapping terapéutico

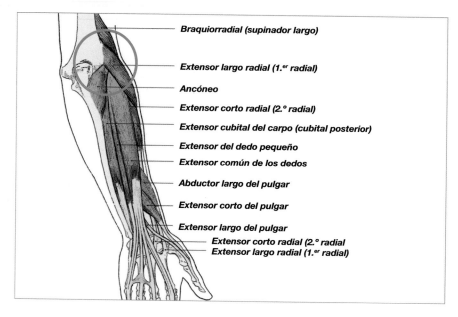

Braquiorradial (supinador largo)

Extensor largo radial (1.ᵉʳ radial)

Ancóneo

Extensor corto radial (2.º radial)

Extensor cubital del carpo (cubital posterior)

Extensor del dedo pequeño

Extensor común de los dedos

Abductor largo del pulgar

Extensor corto del pulgar

Extensor largo del pulgar

Extensor corto radial (2.º radial)
Extensor largo radial (1.ᵉʳ radial)

▷ Mecanismo

Se trata de la inflamación de los músculos epicondíleos que están ubicados en la cara externa del codo. Estos músculos son solicitados durante los movimientos de la muñeca, especialmente durante la práctica de deportes de raqueta como el tenis, el squash, el badmington, etc.

▷ Su objetivo: reducir las tensiones en los tendones

Para ello, coloque la muñeca en extensión, en inclinación radial y en supinación.

▷ Postura del sujeto

El sujeto debe estar sentado, con el codo flexionado y con el brazo apoyado en una mesa.

### Anclajes

Coloque dos anclajes con *Extensa® Plus* de 6 cm, el primero en la cara posterior de la mano y el segundo en el tercio superior del antebrazo.

### Limitar la flexión de la muñeca

Tras haber colocado la muñeca en extensión, coloque tiras de *Omnitape®* de 4 cm extendidas desde el anclaje inferior hasta el superior.

### Limitar la inclinación cubital

Coloque una tira de *Extensa® Plus* de 6 cm en extensión, desde la base del pulgar hasta el anclaje superior.

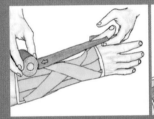

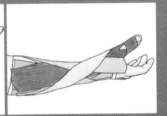

Se coloca sobre el radio y su punto de anclaje a modo de brazalete se sitúa en la columna del pulgar.

Coloque dos tiras de *Omnitape®* de 4 cm, en diagonal, en el sentido de la inclinación radial.

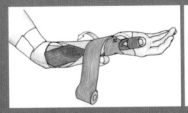

### Limitar la pronación

Coloque el antebrazo en supinación máxima. A continuación, con una venda de *Extensa® Plus* de 6 cm, realice un vendaje en espiral desde la cara dorsal de la mano que se enrolle en el sentido de la supinación y que acabe fijándose en el anclaje situado en la parte inferior del brazo (colocado en flexión).

# Taping corrector y destonificante **para los epicondíleos**

Este montaje se utiliza en caso de tensiones musculotendinosas en los epicondíleos.

▷ **Su objetivo**
Descomprimir los epicondíleos y modificar sus posiciones.

▷ **Postura del sujeto**
Sentado.

▷ **Forma**
En forma de I y de Y.

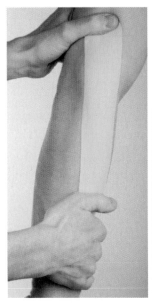

**Destonificación**
Se coloca el antebrazo en extensión y en pronación, y la muñeca flexionada en inclinación cubital. Coloque la venda sin ejercer tensión sobre los epicondíleos. Las arrugas se producen cuando estos músculos son solicitados.

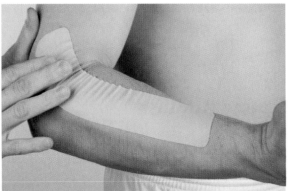

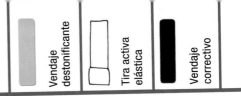

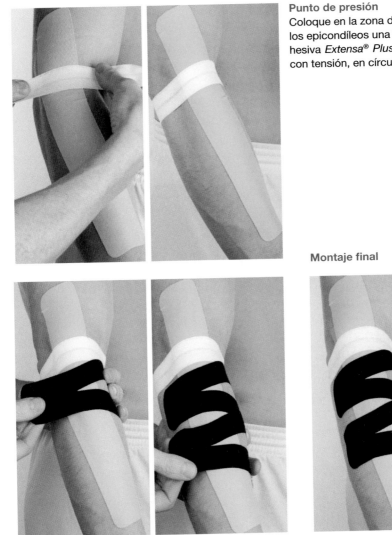

**Punto de presión**

Coloque en la zona dolorida de los epicondíleos una venda adhesiva *Extensa® Plus* de 3 cm, con tensión, en círculo.

**Montaje final**

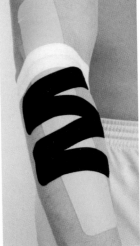

**Corrección de las fascias**

La colocación de las Y se realiza en perpendicular con relación a las fibras de los epicondíleos. Las dos ramas de la Y se fijan en la parte anterior del antebrazo. Después, al mismo tiempo que tensa la zona con los dedos, coloque las ramas en la dirección de la corrección. Repita una vez más esta operación.

# Esguince de muñeca: strapping terapéutico

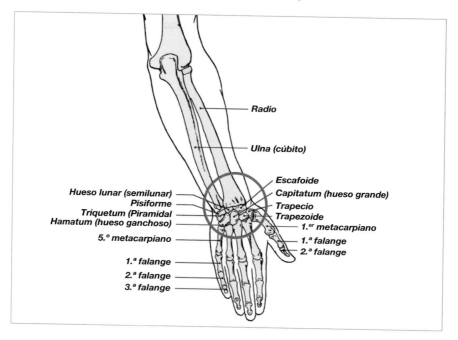

Radio

Ulna (cúbito)

Escafoide
Capitatum (hueso grande)
Trapecio
Trapezoide
1.er metacarpiano
1.ª falange
2.ª falange

Hueso lunar (semilunar)
Pisiforme
Triquetum (Piramidal)
Hamatum (hueso ganchoso)
5.º metacarpiano
1.ª falange
2.ª falange
3.ª falange

▷ Mecanismo

Se trata de un movimiento forzado que supera las amplitudes articulares permitidas, dando lugar a un traumatismo en extensión (caída sobre la mano abierta) o en flexión (caída sobre "la espalda" de la mano o puñetazo).

▷ Su objetivo: estabilizar la articulación de la muñeca

Limitar a la vez la flexión y la extensión de la muñeca conservando la posición funcional.

▷ Postura del sujeto

El sujeto debe estar sentado, con el codo flexionado apoyado en una mesa.

Esta contención está indicada para todos los casos de esguince de muñeca porque la inmovilización se realiza en posición funcional, limitando a la vez flexión y extensión.

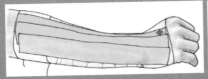

## Anclajes

Coloque dos anclajes con *Extensa® Plus* de 6 cm: el primero sobre la cara posterior de la mano y el segundo en el tercio superior del antebrazo.

## Limitar la flexión de la muñeca (1)

Después de haber colocado la muñeca en ligera extensión, disponga tiras de *Omnitape®* de 4 cm desde el anclaje inferior hasta el superior. Añada dos tiras de *Omnitape®* de 4 cm en diagonal. El punto de intersección de ambas vendas se sitúa sobre la articulación de la muñeca.

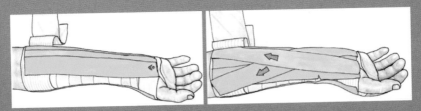

## Limitar la flexión de la muñeca (2)

Coloque sobre la cara anterior del antebrazo tiras de *Omnitape®* de 4 cm, extendidas desde el anclaje inferior hasta el superior. Añada dos tiras de *Omnitape®* de 4 cm en diagonal.

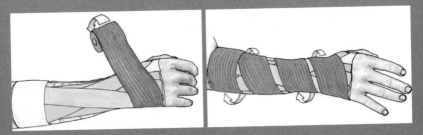

## Cerrar el montaje

Realice el cierre con una venda *Extensa® Plus* de 6 cm. Empiece por la cara dorsal de la muñeca, lado cubital. A continuación, ascienda a modo de espiral, sin ejercer tensión, hasta el anclaje superior.

# Taping para el drenaje y la descompresión
## del canal carpiano

Este montaje se utiliza en caso de dolor en la muñeca o de parestesias en la mano y en los dedos (síndrome del túnel carpiano).

▷ **Su objetivo**
Descongestionar y descomprimir la zona.

▷ **Postura del sujeto**
Sentado.

▷ **Forma**
En forma de I con agujeros.

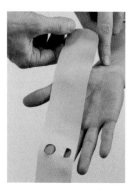

**Preparación de la venda**
Coja un trozo de venda, dóblela por la mitad y haga dos agujeros centrados en el medio de la venda.

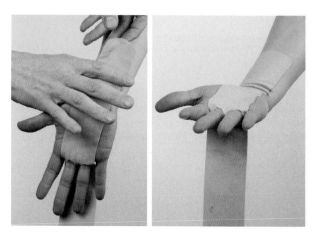

**Drenaje y descompresión anteriores**
Coloque la muñeca en extensión, luego adhiera la venda sin tensión hasta el cuarto inferior del antebrazo. La venda se arrugará durante la flexión de la muñeca.

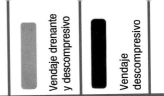
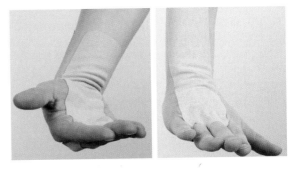

**Drenaje y descompresión posteriores**
Primero coloque la muñeca en flexión. A continuación, adhiera la venda sin ejercer tensión hasta el cuarto inferior del antebrazo.

**Resultado**
La venda se arrugará durante los movimientos de flexión y extensión de la muñeca.

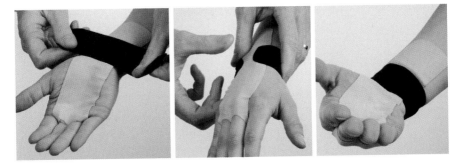

**Montaje descompresivo**
Coloque un trozo de venda sobre la zona dolorosa ejerciendo una tensión del 30 al 50 %. Esta venda también sirve como sujeción para un montaje drenante.

# Esguince del pulgar: strapping terapéutico

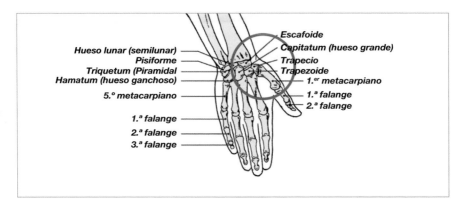

Hueso lunar (semilunar)
Pisiforme
Triquetum (Piramidal
Hamatum (hueso ganchoso)
5.º metacarpiano

1.ª falange
2.ª falange
3.ª falange

Escafoide
Capitatum (hueso grande)
Trapecio
Trapezoide
1.er metacarpiano
1.ª falange
2.ª falange

> ### Mecanismo
Este esguince afecta la columna del pulgar y normalmente la articulación metacarpofalángica.
Se produce a causa de una caída sobre la mano, con el pulgar separado.

> ### Su objetivo: estabilizar la columna del pulgar
Impedir la abducción y la retroposición del pulgar.

> ### Postura del sujeto
El sujeto debe estar sentado, con el antebrazo apoyado sobre una mesa.

Anclaje venda elástica

Tira activa inelástica

Tira activa elástica

Cierre del vendaje

### Aportar rigidez a la columna del pulgar

Coloque alrededor de la muñeca un anclaje con *Extensa® Plus* de 8 cm. Para evitar la flexión de las falanges de la columna del pulgar, coloque primero una tira de *Omnitape®* de 4 cm sobre la cara dorsal del pulgar para aportar rigidez a esta columna.

### Impedir la retroposición del pulgar

Coloque una tira de *Omnitape®* de 4 cm sobre la cara anterior de la columna del pulgar.

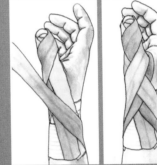

### Impedir la abducción del pulgar

Desde el anclaje de la cara dorsal de la muñeca, extienda una venda *Extensa® Plus* de 3 cm llevando la columna del pulgar en aducción; luego fije la tira sobre la muñeca por el lado cubital. Repita la operación una o dos veces.

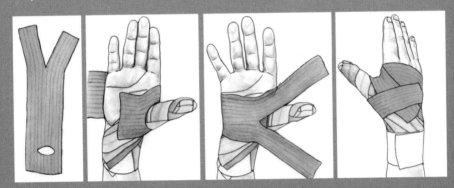

### Cierre del montaje

Confeccione una manopla con una venda *Extensa® Plus* de 8 cm. A continuación, introduzca la columna del pulgar por el agujero y rodee la mano con la venda (sin ejercer tensión alguna). Finalice colocando los dos trozos de venda de un lado a otro de la columna del pulgar.

# Esguince de la articulación metacarpofalángica (dedo en extensión) o lesión de un tendón flexor de los dedos: strapping terapéutico y preventivo

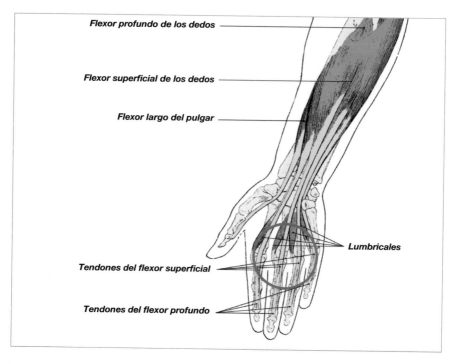

> ▷ Mecanismo

El movimiento forzado en hiperextensión de los dedos solicita el sistema ligamentario anterior de la articulación metacarpofalángica.
La sobreutilización de los tendones flexores puede causar tendinopatías.

> ▷ Su objetivo: proteger la articulación metacarpofalángica (contra la hiperextensión) o los tendones flexores

Impedir la hiperextensión de los dedos (articulaciones metacarpofalángicas) y el estiramiento de los tendones flexores de los dedos.

> ▷ Postura del sujeto

El sujeto debe estar sentado, con el codo flexionado y el antebrazo apoyado sobre una mesa.

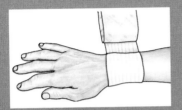

Anclaje venda elástica

Tira activa inelástica

Tira activa elástica

Cierre del vendaje

**Anclaje y aportar rigidez a la columna del pulgar**

Coloque alrededor de la muñeca un anclaje con *Extensa® Plus* de 6 cm. Para evitar la flexión de las falanges al colocar las vendas en la cara anterior del dedo, coloque primero una tira de *Omnitape®* de 4 cm sobre la cara dorsal del dedo para aportar rigidez a la columna.

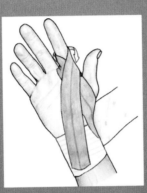

**Impedir la extensión del dedo (1)**

Coloque un anclaje con *Extensa® Plus* de 3 cm que rodee la cara dorsal de la primera falange y que vuelva por la palma de la mano para insertarse sobre el anclaje de la muñeca. La intersección se produce sobre la articulación metacarpofalángica.

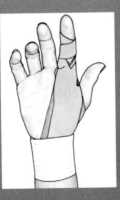

**Impedir la extensión del dedo (2)**

Se puede reforzar este montaje gracias a la colocación de una venda inelástica de *Omnitape®* de 4 cm. Entonces se coloca el dedo muy poco flexionado y, luego, se cierra el anclaje.

**Mantener las vendas**

Confeccione una manopla, introduzca la columna del pulgar por el agujero, rodee la mano con la venda (sin ejercer tensión alguna) y termine colocando los dos trozos de venda de un lado a otro de la columna del pulgar.

# Esguince de la articulación metacarpofalángica (dedo en flexión) o lesión de un tendón extensor de los dedos: strapping terapéutico

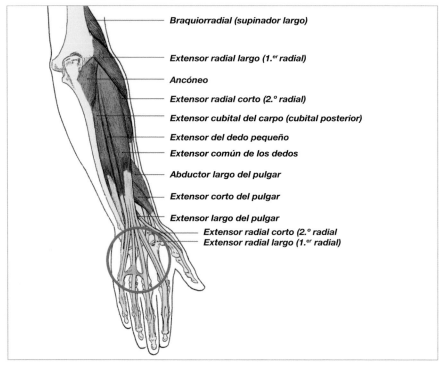

Braquiorradial (supinador largo)

Extensor radial largo (1.<sup>er</sup> radial)

Ancóneo

Extensor radial corto (2.° radial)

Extensor cubital del carpo (cubital posterior)

Extensor del dedo pequeño

Extensor común de los dedos

Abductor largo del pulgar

Extensor corto del pulgar

Extensor largo del pulgar

Extensor radial corto (2.° radial
Extensor radial largo (1.<sup>er</sup> radial)

▷ Mecanismo

El movimiento forzado en hiperextensión de los dedos solicita el sistema ligamentario anterior de la articulación metacarpofalángica.
La sobreutilización de los tendones extensores puede causar tendinopatías.

▷ Su objetivo: proteger la articulación metacarpofalángica (contra la hiperextensión) o los tendones extensores

Impedir la hiperextensión de los dedos (articulaciones metacarpofalángicas) y el estiramiento de los tendones extensores de los dedos.

▷ Postura del sujeto

El sujeto debe estar sentado, con el codo flexionado y el antebrazo apoyado sobre una mesa; los dedos se colocan en extensión.

### Limitar la flexión del dedo (1)

Tras colocar un anclaje alrededor de la muñeca con una venda *Extensa® Plus* de 6 cm, coloque una tira de *Omnitape®* de 4 cm desde el anclaje hasta el extremo de la falange. Ciérrela a modo de brazalete.

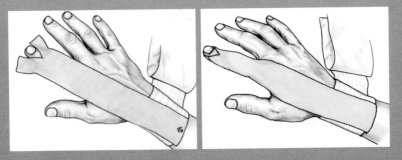

### Limitar la flexión del dedo (2)

Coloque una tira de *Extensa® Plus* de 3 cm de forma que dibuje una diagonal desde la cara posterior de la mano hasta la cara anterior de la tercera falange.

Coloque una segunda tira de *Extensa® Plus* de 3 cm de forma que el cruce (en forma de espiga) con la otra tira se produzca sobre la articulación meta-carpofalángica.

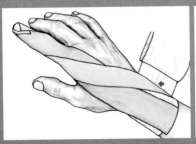

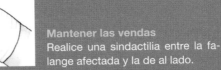

### Mantener las vendas

Realice una sindactilia entre la fa-lange afectada y la de al lado.

# Esguince de la articulación metacarpofalángica (dedo en flexión): strapping preventivo

▷ **Mecanismo**

El movimiento forzado en hiperextensión de los dedos (caída sobre la muñeca) afecta el sistema ligamentario posterior de la articulación metacarpofalángica.

▷ **Su objetivo: limitar la hiperflexión de la articulación metacarpofalángica**

▷ **Postura del sujeto**

El sujeto debe estar sentado, con el codo flexionado y el antebrazo apoyado sobre una mesa, con los dedos en extensión.

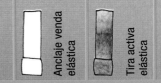

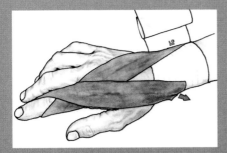

## Limitar la flexión de la articulación metacarpofalángica del dedo (1)

Tras colocar un anclaje alrededor de la muñeca con una venda *Extensa® Plus* de 6 cm, haga un 8 con un trozo de venda *Extensa® Plus* de 3 cm. Coloque el centro de esta venda en la cara anterior del dedo sobre la primera falange, y luego cruce las dos vendas sobre la parte posterior del dedo.

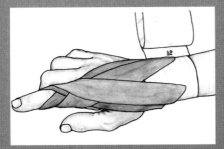

## Limitar la flexión de la articulación metacarpofalángica del dedo (2)

Repita la operación superponiendo cada venda sobre la mitad de la anterior hacia las falanges distales. La confluencia de las vendas se produce sobre la articulación afectada. Cierre el anclaje situado a la altura de la muñeca.

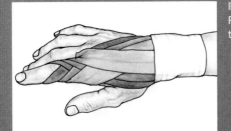

## Realice una sindactilia

Realice una sindactilia entre la falange afectada y el dedo más cercano.

# Esguince de las articulaciones AIP[7] o AID[8] de un dedo: strapping terapéutico

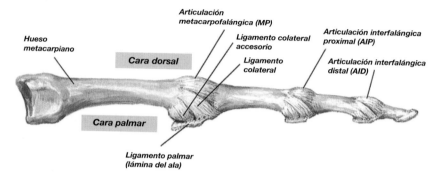

Articulación metacarpofalángica (MP)

Hueso metacarpiano

Ligamento colateral accesorio

Articulación interfalángica proximal (AIP)

Cara dorsal

Ligamento colateral

Articulación interfalángica distal (AID)

Cara palmar

Ligamento palmar (lámina del ala)

▷ Mecanismo

Las articulaciones interfalángicas pueden debilitarse durante un bostezo lateral forzado (asociado o no a una torsión). Las lesiones se localizan en las caras laterales de los dedos.

▷ Su objetivo: proteger las articulaciones AIP o AID

Impedir el bostezo articular entre las dos falanges afectadas.

▷ Postura del sujeto

El sujeto debe estar sentado, con el codo flexionado y el antebrazo apoyado sobre una mesa, con los dedos en extensión.

Puede resultar muy útil contar con la ayuda de otra persona para realizar este tipo de strapping porque exige minuciosidad y precisión.

---

7  AIP: articulación interfalángica proximal.
8  AID: articulación interfalángica distal.

Tira activa elástica

Tira activa inelástica

Cierre del vendaje

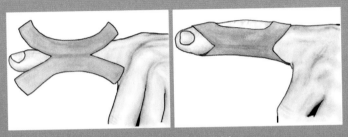

### Limitar el bostezo de la articulación AIP (1)

Corte un trozo de *Extensa® Plus* de 3 cm de la longitud del dedo. Tras recortar los dos extremos de la venda, coloque esta primera tira sobre la cara lateral del dedo con cuidado de encoger correctamente la zona ligamentaria afectada. Cierre ambos extremos a modo de brazalete.

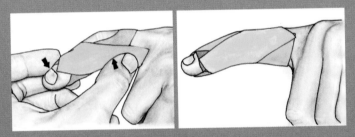

### Limitar el bostezo de la articulación AID (2)

La zona ligamentaria se mantiene encogida. Coloque diagonalmente con relación a la articulación dos trozos de venda de *Omnitape®* de 2,5 cm. La confluencia de ambos trozos se produce sobre la articulación.

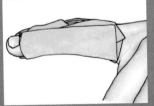

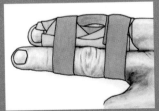

### Haga una sindactilia

Realice una sindactilia entre la falange afectada y el dedo de al lado.

Acabe colocando una última tira lateral de venda *Omnitape®* de 2,5 cm.

# LOS CASOS PARTICULARES

## Estabilización de la articulación trapezometacarpiana (columna del pulgar): strapping preventivo

Los porteros, tanto de fútbol como de balonmano, deben proteger esta zona por su exposición a los "pulgares retorcidos". Recuerde que la contención debe caber dentro de los guantes del portero.

▷ **Su objetivo**

Estabilizar el conjunto de la columna del pulgar y, sobre todo, las articulaciones trapezometacarpiana y metacarpofalángica.

Impedir el bostezo articular entre las dos falanges afectadas.

▷ **Postura del sujeto**

El sujeto debe estar sentado, con el codo flexionado y el antebrazo apoyado sobre una mesa.

Coja un trozo de 10 a 15 cm de venda *Extensa® Plus* de 6 u 8 cm. Haga un agujero del diámetro del pulgar en medio de la venda. Coloque las vendas, luego extiéndalas longitudinalmente de un extremo al otro del pulgar. La primera se coloca de tal forma que cubra, por un lado, una parte de la cara palmar de la mano y, por el otro, la columna del pulgar. La segunda cubre una parte de la cara dorsal de la mano y la eminencia tenar. Finalice la contención utilizando vendas inelásticas *Omnitape®*.

# Unir los dedos: strapping preventivo

Ampliamente expuesto a los esguinces de los dedos y, sobre todo, de las articulaciones metacarpofalángicas, el jugador de voleibol puede utilizar esta contención preventiva que no afectará de ningún modo su tacto a la hora de tocar el balón.

▷ **Su objetivo**

Unir los dedos entre ellos para impedir la hiperextensión o la hiperflexión de las articulaciones metacarpofalángicas, unas con relación a las otras, respetando la función de los dedos para el juego.

▷ **Postura del sujeto**

El sujeto debe estar sentado, con el codo flexionado y el antebrazo apoyado sobre una mesa, con los dedos separados y colocados en extensión.

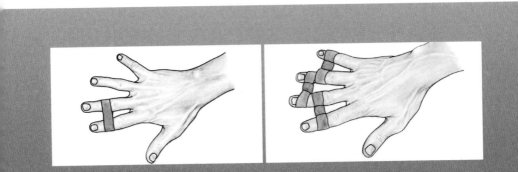

Coja una venda *Extensa® Plus* de 3 cm y recórtela por la mitad en sentido longitudinal para obtener una amplitud de venda adecuada para tratar la zona. A continuación, separe bien los dedos, coloque una primera venda extendida del 2.º dedo al 3.º. Fije bien la venda colocando un trocito entre ambos dedos. Repita lo mismo con el 3.º y el 4.º, luego con el 4.º y el 5.º superponiendo los montajes hacia la parte proximal o la parte distal de los dedos.

# Taping para **las cicatrices**

Este montaje se utiliza en caso de cicatrices adherentes, adheridas o fibrosadas.

▷ **Su objetivo**
Despegar las cicatrices, recuperar la movilidad intertisular.

▷ **Forma**
En forma de I con amplitud reducida.

 Este taping sólo puede utilizarse si la cicatriz está perfectamente cerrada.

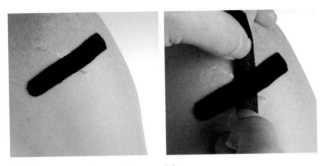

### Colocación en forma de cruz (1)

Coloque una primera I, ejerciendo una tensión de entre el 20 y el 30 % (en el centro de la venda), cruzada en un ángulo de 45° sobre la cicatriz. Añada un segundo trozo, con la misma tensión y cruzado a 45° con relación a la primera I.

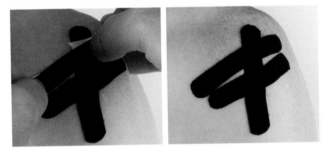

### Colocación en forma de cruz (2)

Repita la operación superponiendo las I y dejando unos milímetros de separación entre ellas.

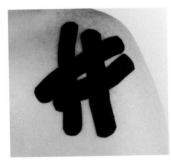

### Montaje final

La cicatriz debe estar completamente cubierta.

# Bibliografía

**Libros**

- FERRET, JM., y H. KOLECKAR, *Médecine du sport*, Éd. Boiron, septiembre 2000.
- FRANK, J., y MD. NETTER, *Atlas d'anatomie humaine*, Éd. Elsevier Masson, 5.ª edición, 2001.
- GENET, J., y E. BRUNET-GUEDJ, *Traumatologie du sport en pratique médicale courante*, Éd. Vigot, 1988.
- GEOFFROY, C., *Le sport – l'Esprit tranquille*, Éd. Geoffroy, 2004.
- GUIMBERTEAU, JC., *Promenade sous la peau*, Éd. Elsevier Masson, 2004.
- LE GALL, F., *Traumatisme et football*, 2005, Éd. Geoffroy, 2004.
- MILROY, P., *Sports injuries*, Londres, Éd. Ward lock, 1994.
- NEIGER, H., *Les contentions souples applications en traumatologie du sport et en rééducation*, París, Éd. Masson.
- PETERSON, L., y P. RENSTRÖM, *Manuel du sportif blessé*, Éd. Vigot, 1986.
- ROUILLON, O., *Le strapping*, Éd. Vigot, 1987.
- SAMUEL, J., *Pathologie et soins du pied*, París, Éd. Maloine, 1996.
- SIMON, L., *Approche d'une masso-kinésithérapie antalgique appliquée au sport*, París, Éd. SPEK, 1986.
- STEINBRÜCK, P., *La contention adhésive o le strapping en médecine sportive*, Éd. Hartmann Médical.
- TALOU, C., *Le point sur les contentions adhésives*, Éd. Smith & Nephew.
- VAN WINGERDEN, *Tape en bandage*, Technieken de Tijdstroom (en holandés), 1984.
- VANDEWALLE. *Crochetage et techniques tissulaires associées*, Éd. Vigot, 2012.

## Artículos y revistas

- COTILLAU, "De l'usage des contentions en médecine vasculaire", en *Cahier de Kinésithérapie*, fasc. 211-212, n.º 5-6, París, Éd. Masson, 2001, pp. 15-126.

- DECORY, B., y A. RAIBAUD, "Contentions souples élastiques adhésives", n.º especial, T.56, art. 82061, en *Médecine du sport*, 1982.

- DELAUNAY, L., y S. ECHINARD, "Une nouvelle génération de contention élastique", n.º 21, *Profession Kinésithérapeute*.

- DO Yle, Koh, "The effects of Kinesio Taping Terapy in low back pain patients", pp. 21-26. *17.º Simposium internacional anual de Kinesio Taping*, 2003.

- KERKOUR, K., "Rôle et place des bandages adhésifs (tape) actifs de couleurs", *Kinésithérapie Revue*, 2010 (104-105).

- MAZEVET, D., P. PRADAT-DIEHL y R. KATZ, "Physiologie de physiopatologie de la proprioception", en *Proprioception actualités,* Éd Springer, 2004.

- METTE F., C. ANSELIN, MC. FOURNIER, M. HOPP, S. MASSERAN, J. SERGENT y E. VIEL, "Le kinésithérapeute et la contention élastique", en *Annales de Kinésithérapie,* 1986, T13, n.º 1-2, pp. 30-40, París, Éd. Masson, 1986.

- NEIGER, H., y P. GOSSELIN, "Les contentions souples adhésives", París, éd Méd. Chir. Kinésithérapie, n.º 26160 B10, p. 4-10-12.

- NEIGER, H., "Intérêts et téchnique de réalisation d'une contention adhésive dans le cas d'une entorse interne du genou", en *Cahier de Kinésithérapie*, fasc. 9, n.º 2, París, Éd. Masson, 1982, pp. 27-36.

- RODINEAU, J., y P. RIBINIK, *Proprioception: actualités*, Éd. Spinger, 2004.

- TALOU, C., *Contention souple et strapping du membre supérieur – Mémoire de kinésithérapie du sport*, INSEE, 1979.

- THOUNIE, P., P. SAUTREUIL y M. FAUCHER, "Évaluation instrumentale de la proprioception en pathologie orthopédique des membres inférieurs", en *Proprioception actualités*, Éd. Spinger, 2004.

- THOUNIE, P., P. SAUTREUIL y P. FODE, "Proprioception et adaptations techniques des orthèses", en *Proprioception actualités*, Éd. Spinger, 2004.

- VIEL, E., y JC. CHANUSSOT, "Les dérives de la rééducation proprioceptive: analyse critique", en *Proprioception actualités*, Éd. Spinger, 2004.